그러나 무릇 여호와를 의지하며

여호와를 의뢰하는 그 사람은 복을 받을 것이라

그는 물가에 심기운 나무가

그 뿌리를 강변에 뻗치고

더위가 올지라도 두려워 아니하며….

— 예레미야 17:7, 8

Wisdom for Fathers

by David Glenn

삶의 다양한 관계 안에서 아버지들을
든든하게 세워주는 성경의 원리

지혜로운 아버지

데이빗 글렌 **지음** ㅣ 김영길 **옮김**

나의 아내 드니스(Denise)에게.

내 최고의 친구이자 연인이며,

내 인생의 반려자인 드니스에게 이 책을 바친다.

당신이 아니었더라면 이 책이 나오지 못했을 거요.

성경의 진리를 설명하는 당신의 뛰어난 문장력과

효과적인 의사 전달 능력의 도움을 받아

글쓰기에 문외한인 내가 이 귀한 임무를 완수할 수 있었소.

이 책을 읽는 모든 남성들이 내면에서부터 변화를 받고

또 내가 그랬던 것처럼

하나님의 말씀으로 축복받기를 기도한다.

서문

이 책은 아내 드니스가 쓴 책 「지혜(Wisdom for Mothers, 도서출판 디모데)」를 바탕으로 쓰여졌다. 그녀의 책이 출판되고 20여 년의 세월이 지나는 동안 우리 부부는 여러 번 이런 질문을 받았다. "그런데 남성들을 위한 책은 도대체 언제 나오나요?" 나는 지구 물리학자로서 직장 생활을 하고 있다. 작가가 아니라 석유를 전공하는 사람이다. 그래서 그런 말을 들을 때면 언제나 "글쎄요, 언젠가 가능하겠죠" 하고 웃어넘겼다.

지금도 나는 인도네시아의 한 석유 회사와 협력하는 일을 현지에서 하고 있다. 하지만 이제는 우리 아이들이 모두 둥지를 떠나 있기에 우리 부부는 내가 이 책을 쓸 때가 되었다고 믿게 되었다. 그래서 나는 드니스가 쓴 성경 공부 자료를 가지고 남성들을 위한 책으로 변형 및 개작을 했다. 잘 알다시피 성경은 누구에게나 적용이 가능한 보편적인 진리다. 하지만 그 원칙들을 적용하는 데에는 때로 남녀의 구분이 있다. 그래서 나는 누구든지, 설령 업무 일정이 너무 빠듯한 사람이라도 쉽게 끝낼 수 있도록 하루 치 공부 분량을 알맞게 조절했다.

어떤 경우에는 성경에 대한 아내의 해석을 그대로 인용했다. 그래서 당신이 이 책을 공부하는 동안에 혹 당신의 아내도 관련 책인 「지혜」를 공부하고 있다면 두 책에 중복된 내용이 있음을 알게 될 것이다.

나는 대단한 작가가 되고 싶은 생각은 조금도 없다. 그저 평범한 남성이자 아버지이며 할아버지인 동시에 직장인에 불과한 나를 하나님은 그분의 말씀을 통해 내 인생을 변화시키셨다. 나는 이 일에 최선을 다했다. 당신이 이 책을 통해 기쁨을 얻고 하나님의 축복을 받는 사람이 되기를 기도한다.

감사의 글

모든 책들은 많은 사람들의 노력의 합작품이다. 이 책이 나오기까지 도움을 주신 나음의 많은 분들께 진심으로 감사를 드린다.

내 아내 드니스는 이 책에 담긴 성경 공부 내용의 원작자로서, 창의적이고 뛰어난 편집 기술을 보여주었다.

들린 할로란(Delynn Halloran)은 우리 책의 디자이너이자 카도 국제 선교회(Kardo International Ministries)의 제작 담당자로서, 이 책의 표지와 내부를 아름답게 디자인해주었을 뿐만 아니라 여러 일들을 헌신적으로 수행해주었다.

캐시 맥데니얼(Kathy McDaniel)은 최종 원고를 교정하고 편집해주었으며, 카도 국제 선교회에서 우리가 출판하는 가정용 도서들을 독자들의 손까지 전달하는 사역을 담당하고 있다.

샘 브래드쇼(Sam Bradshaw)는 카도 국제 선교회의 의장으로서 타고난 행정력과 지혜로 우리 사역을 이끌어 전례 없는 성장과 확장의 전기를 열어주었다.

마크 콜린스(Mark Collins)와 트립 레이(Trip Ray) 그리고 팀 위버(Tim Weaver)와
는 15년이 넘게 매주 금요일 아침 함께 기도 시간을 갖고 있다. 이 책에 사용
된 많은 예화와 적용들은 이 경험을 기초로 하고 있다.

서론

경건한 남편, 경건한 아버지가 되는 비결을 찾고 있는가? 인생에서 결혼 생활과 자녀 양육의 기쁨에 비길 만한 것도 없고, 또 그것에 견줄 만큼 힘든 일도 없을 것이다. 하나님의 말씀이 이 과정에서 필요한 주요 자원이기 때문에 매일 이 책을 공부해나갈 때 항상 성경을 곁에 두는 것을 잊지 말라.

그룹 스터디

혼자 공부하기 위해서 이 책을 사용해도 좋지만 이 책을 활용하는 최선의 방법은 뜻이 맞는 사람들과 그룹을 만드는 것이다. 그룹은 가정, 교회, 사무실 등 서로를 격려할 수 있는 곳이라면 어디서든 만나도 좋다.

모든 모임마다 다음 세 가지를 반드시 이행해야 한다.

- 성경 공부
- 기도
- 삶에 적용하기 위한 토론

그 주에 해당하는 성경 공부를 하면서 그룹 모임을 시작하되 모임의 인도는 한 주간 모임을 활성화시킬 수 있고, 그룹 구성원들을 격려하고 지원할 수 있는 성숙한 신자가 한다. 인원이 10명이 넘을 경우에는 기도할 때 4, 5명의 소모임으로 나눈다. 그리고 삶에 적용하기 위한 토론을 할 때는 다시 함께 모인다. 모임의 리더는 매주 전반부에 나와 있는 질문들을 이용하여 활기찬 토론이 될 수 있도록 인도한다. '철이 철을 날카롭게 한다'는 잠언 27장 17절의 말씀처럼 남성들은 서로를 '날카롭게' 다듬어주어야 한다.

오디오 CD

CD 3장으로 이루어진 '강한 남자/ 강한 아빠' 오디오 세트는 저자가 파더와이즈(FatherWise) 회의에서 한 강연 실황을 담은 것이다. 이 CD로 인해 본 교재를 사용하는 데 더욱 도움이 되기는 했지만, 주 단위의 교육용 테이프로 제작된 것은 아니다.

- 전화 : 1-888-272-6972 · 웹사이트 : www.fatherwise.org
- 주소: Kardo International Ministries 11875 W. Little York, Suite 1104 Houston, Tx 77041

교재

이 책은 총 10단원으로 구성되어 있으며, 매주 한 단원씩 공부하도록 되어 있다. 일주일에 5일씩 학습하게 되는데, 하루 분량은 대략 10-15분 정도 걸린다. 학습 내용들은 독자들이 이 과정을 끝까지 잘 수행할 수 있도록 의도적으로 소요 시간을 줄이는 방향으로 구성했다. 각 단원 끝에는 '안식일 학습(Sabbath Study)'을 마련하여 주말에 시간의 여유가 있을 때 보다 깊이 공부할 수 있게 하였다.

서로를 알아가기 위한 질문

파더와이즈 「지혜로운 아버지(Wisdom for Fathers)」 과정을 시작하게 된 것을 환영한다. 다음의 빈칸을 채워가며 기도 모둠 구성원들 서로를 알아가는 시간을 가지라.

모둠 리더

이름 : _____   아내 이름 : _____

자녀 이름과 나이 : _____

_____

주소 : _____

전화번호 : _____   이메일 : _____

모둠 구성원

이름 : _____   아내 이름 : _____

자녀 이름과 나이 : _____

_____

주소 : _____

전화번호 : _____   이메일 : _____

이름 : _____   아내 이름 : _____

자녀 이름과 나이 : _____

_____

주소 : _____

전화번호 : _____   이메일 : _____

이름 : _____   아내 이름 : _____

자녀 이름과 나이 : _____

_____

주소 : _____

전화번호 : _____   이메일 : _____

이름 : _____   아내 이름 : _____

자녀 이름과 나이 : _____

_____

주소 : _____

전화번호 : _____   이메일 : _____

이름 : _____   아내 이름 : _____

자녀 이름과 나이 : _____

_____

주소 : _____

전화번호 : _____   이메일 : _____

서로 더 잘 알기 위한 토론

1. 아버지가 되면 가장 좋은 점은

_____

2. 아버지로서 나의 가장 큰 문제점은

_____

3. 나는 내 아버지의 이런 점을 닮고 싶다 / 닮고 싶지 않다

_____

모둠 기도 안내

그 주의 단원을 공부한 후에 함께 기도하기 위하여 5-6명의 소그룹으로 나누라.

삶에 적용하기 위한 토론을 하기 전에 먼저 기도 시간을 갖는 것이 좋다. 경험에 비추어볼 때 토론을 중단하고 기도 시간을 갖는 것은 어렵다. 기도 제목은 자신과 직계 가족(아내와 자녀들)으로 제한하라. 친척과 친구들을 위한 기도도 중요하지만, 기도 제목이 보다 개인적인 것이 될수록 그룹의 결속이 더 다져지고 진정한 협력 공동체가 된다.

기도 시간 중에 나눈 내용은 반드시 비밀을 지켜야 한다. 모임 밖으로 유출되어서는 안 된다. 모둠 기도를 위한 한 가지 효과적인 방법은 각 모둠원이 각각의 기도 제목에 대해 한두 문장씩 짧게 기도하는 것이다.

기도는 우리 사역의 핵심 부분이다. 우리는 하나님이 그 기도 시간 가운데 그리고 그 기도 시간을 통하여 행하실 모든 것을 기대한다.

과정을 시작하며

지혜를 추구하는 데 있어 가장 중요한 첫 번째 단계는 하나님과의 개인적인 교제를 깊는 것이다.

"가로되 주 예수를 믿으라 그리하면 너와 네 집이 구원을 얻으리라"(행 16:31).

하나님을 온전히 신뢰하는 일은 그분의 아들 예수 그리스도를 통해서만 가능하다.

요한복음 14장 6절에서 예수님은 자신을 가리켜 "내가 곧 길이요 진리요 생명이니 나로 말미암지 않고는 아버지께로 올 자가 없느니라"고 말씀하신다.

당신의 인생을 예수님께로 방향 전환하는 것이 하나님과의 교제를 가질 수 있는 유일한 길이다. 그분을 통하지 않고는 불가능하다. 예수 그리스도와의 개인적인 교제를 가져본 적이 없다면 로마서의 진리를 탐구해나가면서 하나님이 당신에게 말씀해주시기를 간구하라.

로마서에 나타난 구원의 길

"모든 사람이 죄를 범하였으매 하나님의 영광에 이르지 못하더니"(롬 3:23).

"죄의 삯은 사망이요 하나님의 은사는 그리스도 예수 우리 주 안에 있는 영생이니라"(롬 6:23).

"우리가 아직 죄인 되었을 때에 그리스도께서 우리를 위하여 죽으심으로 하나님께서 우리에게 대한 자기의 사랑을 확증하셨느니라"(롬 5:8).

"네가 만일 네 입으로 예수를 주로 시인하며 또 하나님께서 그를 죽은 자 가운데서 살리신 것을 네 마음에 믿으면 구원을 얻으리니 사람이 마음으로 믿어 의에 이르고 입으로 시인하여 구원에 이르느니라"(롬 10:9-10).

"누구든지 주의 이름을 부르는 자는 구원을 얻으리라"(롬 10:13).

하나님과 교제하며 그분을 전폭적으로 신뢰하려면
• 자신이 죄인인 것과 영원한 지옥에서 구원받기 위해서는 예수 그리스도와의 관계가 필요하다는 것을 인정해야 한다.
• 자신의 죄를 인정하고 고백해야 한다.
• 죄에서 하나님께로 얼굴을 돌려야 한다.
• 예수님의 은혜를 인하여 당신을 구원해주시도록 주님께 요청해야 한다.
• 예수님이 자신의 삶을 다스리시도록 내어드려야 한다.

이제 준비가 되었으면 다음과 같이 기도하라.

"주님, 저는 죄인임을 고백합니다. 저의 죄를 용서해주옵소서. 당신이 십자가에서 죽으심으로 저의 죄 값을 치뤄주셨습니다. 저는 이제 죄에서 돌이켜 당신께로 갑니다. 주님, 저를 불쌍히 여기사 구원하여주옵소서. 저의 스승, 저의 주인이 되어주옵소서. 당신만이 저의 하나님이십니다. 예수님의 이름으로 기도드립니다. 아멘."

당신이 진심으로 이 기도를 드렸다면 천사들이 기뻐할 것이다. 이제 당신은 하나님의 아들이다! 새로운 가족으로 거듭난 것이다. 이로서 당신은 당신의 자녀들을 축복할 수 있는 능력의 원천을 소유한 아버지가 되었다.

목사님이나 그룹 리더, 혹은 믿음의 친구에게 전화하여 이 중요한 결성을 함께 나누라. 누군가에게 당신의 새로운 믿음에 대하여 알려줄 필요가 있다.

"누구든지 사람 앞에서 나를 시인하면 나도 하늘에 계신 내 아버지 앞에서 저를 시인할 것이요"(마 10:32).

기도 제목

개인적으로 이 책을 공부하고 있다면 당신과 가족들의 기도 제목을 적으라. 만일 그룹으로 이 책을 공부하고 있다면 기도 시간을 절약하기 위해 5-6명 정도의 소기도 모임으로 나누라. 이번 주 동안 집에서 잊지 않고 기도할 수 있도록 다음에 기도 제목을 기록하라.

1

지혜에 대한 탐구

남편이나 아버지가 되는 것을 제외하고는 우리가 상상할 수 있는

거의 모든 영역에서 훈련이나 더 필요한 교육을 받을 수 있다.

그러나 훌륭한 아버지가 된다는 것은 훈련이나 교육 그 이상이 요구된다.

바로 지혜가 필요하다. 우리 모두는 실제적인 해답을 필요로 하고 있다.

지혜에 대한 고전인 하나님의 말씀에서 우리는 그 답을 발견할 수 있다.

지혜로운 남성

기도로 **시작**하기

> 주님, 저는 당신이 제게 말씀하고자 하시는 것을
> 들을 준비가 되어 있습니다. 당신이 바라는
> 그런 사람이 되기 위해서는 당신의 지혜가 필요합니다.
> 제 삶을 당신께 특별한 제사로 드립니다. 제 안에서 능력으로
> 역사하여주옵소서. 예수님의 이름으로 기도드립니다. 아멘.

경건한 남성의 초상

시편 1편을 읽으라.

당신은 경건한 남성이 되기를 원한다. 당신은 현명한 결정을 내리고 싶어 한다. 어떻게 그렇게 할 수 있을까? 시편 1편은 경건한 남성의 단면을 보여주고 있다. 거기에서 경건한 남성이 하지 않는 일과 하는 일 그리고 그의 인물됨을 발견할 수 있다.

먼저 우리는 경건한 남성이 되기를 바라는 사람이 하지 않는 일을 볼 수 있다. 1절에서 악의 진행 과정을 주목하라. 나중에 통제 불가능한 상황으로 치닫게 될 사소한 타협으로 인해 죄의 유혹에 빠지기란 쉬운 일이다. 그러면 어

떻게 그것을 피할 수 있을까? 2절을 보라. 하나님의 말씀을 즐거워하여 그 말씀을 묵상함으로써 당신이 찾는 지혜를 얻을 수 있다. 이것이 바로 이 책에서 우리가 추구하는 것이다. 나는 당신이 성경을 읽을 뿐 아니라 묵상하는 단계까지 나아가기를 바란다.

묵상이란 단어는 되새김질을 하는 소의 이미지를 떠올리게 한다. 소는 씹는 것을 되풀이한다. 나중에는 심지어 제2 위 속에 든 것까지 되올려서 다시 새김실을 한다. 이와 같이 우리는 하나님의 말씀을 온전히 깨닫는 순간까지 묵상을 거듭해야 한다. 그것은 신문을 읽을 때처럼 대충 훑고 마는 것이 아니라 읽은 말씀에 대해 깊이 숙고하는 것을 의미한다.

3절 말씀은, 그렇게 할 때 우리는 시냇가에 심은 나무처럼 될 것이라고 말한다. 강가나 호숫가의 아름드리 큰 나무들이 어떻게 자라는지 알고 있는가? 그 나무들은 뿌리 조직에 영양을 공급해주는 생명수를 지속적인 원천으로 소유하고 있기에 잘 자랄 수가 있다.

이것이 바로 당신과 내가 필요로 하는 것이다. 우리 삶에 영양분을 공급하고 현명한 판단을 도와주는 자원을 제공해주는 것은 변함없는 하나님의 지혜와 분별의 능력이다. 우리에게는 이것이 필요하다. 그렇게 되면 우리 인생은 풍성한 열매와 가지가 무성하여 비바람에 흔들리지 않는 견고한 인생이 될 것이다. 얼마나 놀라운 약속인가!

이제 함께 공부하며 힘을 얻어서 우리의 중심을 그분의 말씀에 깊이 뿌리

박는 일에 동참하지 않겠는가!

주님, 당신과 당신의 말씀에 대한 열정과 목마름을 위해 기도합니다. 제 삶에서 당신의 목소리를 듣지 못하게 하는 어떠한 장벽도 다 제거해주옵소서. 주님, 제가 당신의 목소리를 들을 수 있는 방식으로 말씀해주시고, 저에게 열린 귀를 허락해주옵소서. 예수님의 이름으로 기도드립니다. 아멘.

좋은 아버지 Tip

남편이자 아버지로서 내가 아직 젊었을 때는 날마다 성경 공부와 기도를 위한 경건의 시간을 갖는 것이 정말 어려운 일이었다. 그것을 위한 시간을 어떻게 마련하는지도 알 수 없었다. 내게는 동기부여가 필요했다. 이제 나는 젊은 시절에 내가 받았던 것과 동일한 도전을 당신에게 주고자 한다. 앞으로 10주 동안 하루도 빠지지 말고 이 책을 가이드 삼아 하루에 15-30분 정도 투자할 것을 권한다. 약 25년 전에 나도 그런 도전에 응했었다. 그리고 그것이 내 인생을 영원히 바꾸어놓았다. 이제 당신에게 어떤 일이 일어날지 기대하라.

둘째 날
지혜로운 충고

주님, 제게 아버지가 되는 특권을 주셔서 감사합니다.
그것은 제 아이 하나하나를 단 하나뿐인 특별한 선물로 잘 섬기라는
막중한 소명임을 잘 알고 있습니다. 주님, 당신의 목소리를 들을 수 있도록
열린 마음과 갈급한 심령을 허락하여주옵소서. 당신을 잘 이해할 수 있도록
말씀하여주옵소서. 예수님의 이름으로 기도드립니다. 아멘.

출발점

대부분의 다른 모든 일들은 훈련이나 교육을 받을 수가 있지만, 가장 중요한 일이라고 할 수 있는 '아버지가 되는 일'은 어디에도 배울 만한 곳이 없다. 자동차를 운전하려면 면허증을 따야 하지만, 부모가 되는 일은 서로를 원하는 두 남녀만 있으면 족하다. 우리가 하게 될 가장 중요한 멘토링(mentoring) 역할, 바로 아버지가 되는 일을 위해서, 우리는 시간을 투자하여 스스로를 훈련해야 한다는 내 생각에 당신은 동의하리라 생각한다. 우선적으로 그 가르침을 배울 수 있는 곳은 바로 잠언이다.

현자(賢者)의 지혜

잠언 1장 1-7절을 읽으라.

솔로몬 왕은 잠언을 기록했다. 그는 역사 이래 가장 지혜로운 사람이었다. 때문에 그의 글을 통해 우리 공부를 시작하는 것은 틀리지 않다. 그 속에는 아버지로서 우리에게 필요한 지혜와 훈계, 명철 그리고 올바른 깨달음이 담겨 있다.

잠언 1장 2-6절을 보면, 잠언을 공부함으로써 남성들이 얻을 수 있는 8가지 이점이 있음을 알 수 있다.

- 지혜와 교훈을 배우는 것.
- 명철의 말씀을 깨닫는 것.
- 훈계를 바르게 받아들이는 것.
- 어리석은 자가 슬기를 얻는 것.
- 젊은 자들이 지식과 근신함을 배우는 것.
- 명철한 자가 모략을 얻는 것.
- 지혜 있는 자가 듣고 학식이 더하는 것.
- 모든 지혜의 근본인 여호와를 경외하는 것.

이것은 마치 훌륭한 아버지가 되기를 바라는 남성의 소망 목록과도 같다. 성경은 이런 지혜의 원천이 되는 책이다.

열왕기상 4장 29-34절을 읽으라.

이 구절은 잠언의 저자로서 역사상 가장 지혜로웠던 한 사람의 프로필을 나열하고 있다. 그의 전기는 정말 놀랍다. 그래서 우리가 꼭 읽어볼 필요가 있다. 다작(多作) 작가요 작곡가이며, 동식물에 박식한 생물학자였던 솔로몬은 또한 땅에 거한 인간 중 가장 부유하고 명성이 높았던 인물이기도 했다. 하나님은 그에게 초자연적인 지혜를 주심과 동시에 당신과 나를 위해 그것을 기록하는 능력도 허락하셨다. 따라서 우리 노력으로 그 지혜를 다시 찾을 필요 없이 다음 몇 주에 걸쳐 우리는 그가 기록한 지혜서와 영감으로 성경을 기록한 다른 저자들의 기록들도 함께 살펴보게 될 것이다. 이제 우리는 그들의 잘한 점들 또한 잘못한 점들을 통해 지혜를 배워나가게 될 것이다.

매일 성경을 읽고 기도의 시간을 가져야 하는 도전을 받아들이라. 언젠가 당신과 당신의 가족들은 이것으로 인해 기뻐하게 될 것이다.

주님, 당신의 지혜가 필요합니다. 당신이 없다면 남편과 아버지로서 현명한 결정을 내릴 수가 없습니다. 제 마음을 당신의 생각들로 채워주옵소서. 그릇된 생각과 사고로부터 저를 보호하여주옵소서. 예수님의 이름으로 기도드립니다. 아멘.

좋은 아버지 Tip

당신의 자녀들을 위해 기도하라. 하나님께 그 아이들이 당신에게 얼마나 큰 축복인지를 말씀드리라.

셋째 날 지혜의 가치

기도로 **시작**하기

주 예수님, 제가 경건한 아버지가 되기 위해서 필요한 것은
더 많은 정보가 아니라 하나님의 영감입니다.
이 일이 제겐 너무 어렵습니다.
당신의 거룩한 생명과 사랑 그리고 능력으로 저를 채워주옵소서.
예수님의 이름으로 기도드립니다. 아멘.

지식인가 지혜인가

어떤 이들은 좋은 아버지가 되는 것에 대해 전혀 생각하지 않는다. 또 다른 이들은 자신들이 그런 아버지가 되는 것은 불가능하다고 생각한다. 좋은 부모가 되는 방법을 소개하는 책들과 잡지들은 즐비하다. 부모들을 위한 세미나나 컨퍼런스들도 많다. 그러나 보다 많은 정보를 갖는 것이 보다 나은 부모가 되는 실제적인 해답이 되는가?

성경은 다르게 이야기하고 있다. 지혜는 단순히 지식인들을 통하여 정보를 얻는 것 그 이상의 의미다. '하캄(Hakam)'은 영어로 '지혜'란 말로 번역된 히브리어 중의 하나다. 이것은 정보 수집을 의미하지 않는다. 이 말의 이면에

담긴 의미는 하나님이 바라시는 모습으로 인생이란 예술을 마스터하는 것이다.[1] 지혜로워진다는 것은 하나님의 말씀을 매일의 삶 속에서 의사 결정의 기준으로 삼는 과정이다.

'지혜'의 전제 조건은 여호와를 경외하는 것이다.

잠언 1장 7절을 읽으라.

이 절에 언급된 '경외'는 하나님께 경배하고, 그분을 영화롭게 하며, 경의를 표하는 것을 의미한다. 아버지로서 지혜를 구하는 그 여정을 시작하기에 앞서 우리는 먼저 겸손한 마음으로 하나님 앞에 우리의 마음을 굴복시켜야 한다. 오만하고 불손한 영혼은 지혜를 얻을 수 없다. 이것은 대부분의 사람들에게 보통 어려운 일이 아니다. 일단 이것을 인정하도록 하자.

잠언 3장 13-26절을 읽으라.

이 가운데 '지혜'란 말을 볼 때마다 방금 배운 성의를 적용해보라. 여기에서 지혜는 어떤 가치를 지닌 것으로 나타나 있는가? 지혜와 비교된 세 가지를 주목하라

잠언은 우리가 지혜를 구하면 유익을 얻고 그 크기가 엄청나다고 이야기하고 있다. 그것은 금과 은 같은 보물에 투자하는 것보다 나으며 귀한 보석을 거래하는 것보다 더 값지다. 당신의 금융 포트폴리오 중 어떤 것도 지혜로운 사람이 되는 그 놀라운 가치와 비교할 수 없다.

하나님은 그분의 지혜를 구하는 사람들을 기꺼이 축복하신다. 지혜는 당

신에게 언제나 가까이 있지만, 그것을 원하는 것은 당신의 몫이다. 당신이 지혜를 구해야 한다. 당신이 진정으로 주님의 지혜를 구한다면 그분은 당신 마음의 소망을 들어주실 것이다.

주님, 제가 당신의 지혜를 얼마나 필요로 하는지 매일 저에게 깨닫게 해주셔서 감사합니다. 많은 순간 저는 가족들에게 연약하고 무능한 존재임을 인정합니다. 또한 자기 중심적이고 많은 경우 너무 권위적임을 고백합니다. 주님, 저를 용서하여주옵소서. 저를 변화시켜주옵소서. 저의 기도를 들어주옵소서. 예수님의 이름으로 기도드립니다. 아멘.

좋은 아버지 Tip

자녀 양육에 있어 부부 두 사람에게 더 많은 지혜가 요구되는 영역이 어느 부분인지 아내와 이야기해보라. 그 부분에서 두 사람이 부모로서 더욱 한마음이 되도록 아내와 함께 기도하라. 아내가 이 부분에 대해 홀로 결정하도록 내버려두어서는 안 된다. 마음을 같이하여 하나님의 지혜를 구하라.

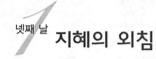

넷째 날 지혜의 외침

선택

오늘 공부는 당신에게 한 가지 문제를 제기할 것이다. 성경을 읽은 후에 당신이 선택해야 할 일이 있다. 당신은 경건한 남편과 아버지가 되는 데 필요한 지혜를 어디에서 구해야 할지에 대해서 이제는 더 이상 문외한이 아니다. 따라서 당신은 다음의 물음에 답해야만 한다. 최고의 아버지가 되기 위해서라면 어떠한 일이라도 할 준비가 되어 있는가? 당신 자신이 진정으로 도움이 필요한 사람이라는 사실을 기꺼이 인정하는가?

잠언 1장 20절-2장 11절을 읽으라.

지혜의 외침이란 무엇인가? (22-23절을 보라)

지혜를 멸시하면 어떤 일이 일어나는가?

우리가 하나님을 어떻게 알 수 있는가?(잠언 2장 1-5절을 보라)

지혜는 어리석은 자들이 돌이켜 청종하도록 목소리를 높여 거리에서 외치는 존재로 묘사되어 있다. 지혜의 영은 귀를 기울이는 모든 자에게 부어진다. 지혜를 멸시하면 재앙이 폭풍처럼 임한다. 우리가 지혜를 받고 우리 안에 그분의 계명을 간직하면 하나님을 아는 지식이 임하게 된다.

누구에게 귀 기울일 것인가?

고린도전서 1장 20-31절을 읽으라.

21절과 25절은 세상의 지혜에 대해서 어떻게 이야기하고 있는가?

하나님의 말씀 외에는 진정한 지혜의 원천이 없다. 기록된 말씀인 성경과 살아 있는 말씀인 예수 그리스도는 당신이 아버지가 되는 일에 있어서 그리고 인생의 다른 모든 영역에서 하나님의 능력과 지혜를 더해주실 것이다(24절을 보라).

30절에 따르면 하나님은 어떤 방식으로 우리에게 그분의 지혜를 더해주시는가? 나와 같은 생각이라면 아버지의 역할은 자신을 낮추는 일이라는 데 동의할 것이다. 그래서 나는 종종 나 자신이 그다지 '아버지답지 못하다'고 생각하게 된다. 그러나 27-30절 말씀을 좀더 면밀하게 살펴보라. 하나님이 허점투성이의 당신을 선택하신 것은 하나님 자신의 지혜와 의로움 그리고 거룩함과 구속함을 당신을 통해 드러내시려 하기 위해서다.

파더링(fathering:좋은 아버지가 되는 법)에 있어 본 과정이 만점 아버지를 만드는 10단계 전략을 가르쳐주는 것은 아니지만, 당신이 하나님께 굴복하기만 하면 그분은 당신이 필요로 하는 지혜와 명철 그리고 총명을 더해주실 것이다. 우리가 기도할 때 하나님은 이 점을 깨닫게 해주실 것이다. 예수님은 당신에게로 흐르는 참 생명에 당신 자신을 완전히 굴복시키고 전적으로 내어 맡기라고 말씀하신다. 다음 몇 주 동안 하나님이 당신에게 예비하고 계신 모든 일에 대하여 당신의 마음이 잘 준비되게 해달라고 하나님께 요청하라.

아버지, 제가 경건한 남편과 아버지가 되는 이 훈련을 해나갈 때 저를 당신의 참 생명 그릇이 되게 해주옵소서. 또한 당신의 모든 충만함으로 저를 채워주옵소서. 예수님의 이름으로 기도드립니다. 아멘.

좋은 아버지 Tip

오늘 미디어 다이어트를 해보라. 하룻동안 신문도 읽지 말고, 텔레비전도 보지 않으며, 라디오나 CD 혹은 테이프도 듣지 말고 지내라. 여러 다른 분주한 일이 많더라도 하나님의 임재 가운데서 하루를 보내라. 세상의 지혜 대신에 참 지혜의 부르심에 귀를 기울이라.

지혜를 얻는 법

기도로 **시작**하기

주님, 저는 오늘 겸손히 당신의 도움을 구하기 위해 왔습니다.
경건한 아버지가 되는 이 막중한 과업을 완수하기 위해서는
당신의 지혜가 필요합니다.
오늘 제가 당신을 만날 수 있게 해주옵소서.
예수님의 이름으로 기도드립니다. 아멘.

가서 취하라!

남성들이여, 만일 당신이 진정으로 어떤 목표를 성취하고자 한다면 그것을 이루기 위한 노력이 따라야 한다는 것을 잘 알고 있을 것이다. 많은 경우에 그것은 열심과 희생을 요구한다. 그렇지 않은가? 자, 그렇다면 이제 내가 무엇을 말하려 하는지 알겠는가? 그것은 바로 만일 당신이 지혜를 원한다면 그것을 얻기 위해 적극적으로 노력해야 한다는 것이다.

잠언 4장 5-9절을 읽으라.

지혜를 얻으면 어떤 유익이 있는가?

7절을 보면, 지혜가 제일이니 우리는 반드시 그것을 얻어야 한다고 말한

다. 이 절 후반부에서는 그 지혜를 얻기 위해 우리가 치러야 할 대가가 무엇인지 그 실마리를 보여주고 있다. "네가 가진 모든 것을 주어서라도 명철을 얻을지니라." 그렇다면 내가 가진 모든 것을 주어야 한단 말인가?

이제 당신은 그것이 땅에서 얻을 수 있는 것과는 다른 것임을 깨닫기 시작했을 것이다. 그 지혜는 단순한 교훈도, 정보도 아니다. 하나님께로부터 오는 지혜는 하나님 자신과의 관계를 통해서만 얻을 수 있다. 그것을 얻기 위해서는 자아로 가득 찬 모습이 아니라 수용적인 자세로 전환함으로써 그분을 기꺼이 받아들일 준비가 되어야 한다.

잠언 4장 10-15, 18절을 읽으라.
지혜에 귀 기울일 때 어떤 축복이 주어지는가?
지혜를 얻기 위해서 취해야 할 행동은 무엇인가?

지혜는 생명을 가져온다

잠언 4장 20-27절을 읽으라.
지혜가 주는 유익은 무엇인가?
어떤 점들을 경고하고 있는가?
어쩌면 당신은 당신의 아버지가 행했던 그리고 당신은 결코 하지 않으리라 다짐했던 그 일들을 아버지처럼 똑같이 행하고 있는 자신을 발견하고 있는지도 모른다. 깊이 생각하지 않은 말들이 입에서 거침없이 흘러나오고, 나중에 후회할 행동들을 가족에게 하고 있는지도 모른다. 당신은 변하고 싶었겠지만 어쩌면 지금껏 포기해왔는지도 모른다. 이런 부분에서 어리석지 않고 지혜로워진다는 것은 불가능한 꿈처럼 보인다.

그러나 이제 당신이 변할 수 있는 기회가 있다. 전심으로 하나님께 나아가 그분의 지혜와 그분의 길을 배울 것을 권한다. 매일 하나님의 말씀을 마실 수록 하나님 안에 잠기게 된다. 그 과정이 점진적으로 일어날 수도 있지만, 확신컨대 하나님의 말씀을 공부함으로써 하나님을 알아가는 데 시간을 투자하는 사람은 누구나 다 그 말씀으로 변화를 받는다.

"지혜를 얻는 것이 금을 얻는 것보다 얼마나 나은고 명철을 얻는 것이 은을 얻는 것보다 더욱 나으니라"(잠 16:16).

좋은 아버지 Tip

정기적으로 함께 기도할 다른 아버지를 찾아보라. 점심 시간이나 이른 아침에 함께 기도하는 것이 가장 좋지만, 모이기가 어렵다면 시간을 정해서 서로 전화상으로 기도의 시간을 가지라.

기도 제목

개인적으로 이 책을 공부하고 있다면 당신과 가족들의 기도 제목을 적으라. 만일 그룹으로 이 책을 공부하고 있다면 기도 시간을 절약하기 위해 5-6명 정도의 소기도 모임으로 나누라. 이번 주 동안 집에서 잊지 않고 기도할 수 있도록 다음에 기도 제목을 기록하라.

2

하나님의 말씀 위에
인생의 기초 세우기

관계 구축을 위한 굳건한 토대

경건한 아버지와 남편이 되는 법을 발견해가는 이 여정을 시작할 때

하나님 말씀의 중요성을 깨닫는 것이 무엇보다 중요하다.

그분의 말씀은 믿는 자들을 위한 생활 교본으로 우리에게 주신 것이다.

경건한 자로서 어떻게 살 것인가를 우리에게 말씀해주시는 분은 바로 하나님이시다.

그분의 말씀은 우리 삶의 기초이자 기준이며, 동시에 진리에 대한 근원적인 권위다.

우리의 물음에 대한 답을 구하는 데 있어 다른 자료가 내용이나 학문적인 면에서

아무리 뛰어나다 하더라도 성경의 권위 위에 두지는 않을 것이다.

경건의 시간을 어떻게 마련할 것인가?
(집에서 조용한 시간을 갖기 힘들 때)

실천 과제 : 이번 주 하루도 빠짐없이 기도와 성경 공부로 하나님과 홀로 만나는 시간 갖기

하나님과 개인적인 만남의 시간을 가지라. 이것은 내가 해줄 수 있는 가장 중요한 파더링(fathering) 비결이다. 당신이 지식을 필요로 하면 지식을 얻게 될 것이고, 지혜와 명철이 필요하면 그 또한 당신이 하나님과 만나는 조용하고 은밀한 그곳에서 얻을 수 있을 것이다.

매일 하나님과 개인적으로 만나는 시간을 경건의 시간(Q.T)이라고 부른다. 이 시간은 당신이 하나님과 대화하기 위해 따로 정해놓은 시간인 동시에, 하나님이 당신과의 대화를 허락하시는 시간이기도 하다. 성경 공부와 기도가 핵심 요소이지만 찬양을 통해 또한 예배드릴 수 있다.

홀로 20-30분 있을 수 있는 두 번의 시간대를 정하라.
혼자서 읽고 공부하며 또 기도할 수 있는 공간 세 곳을 정하라.

하나님과의 개인적인 만남의 시간을 갖는 데 가장 큰 장애 요소는 무엇인가? 당신이 취할 수 있는 해결책에는 어떤 것들이 있는가?

개인적인 간증을 하자면, 우리가 처음 결혼했을 때 나는 경건의 시간이 무엇인지 전혀 몰랐고 아무 관심도 없었다. 나는 성공을 꿈꾸는 젊은 직장인이었으며, 기회가 날 때마다 운동하기를 좋아하는 열혈 스포츠맨이었다. 그 당시 나의 우선순위는 나 자신, 일, 스포츠, 아내, 우리 아이들, 그 다음에 교회 순이었다. 나는 교회 출석만으로 예수님과의 친밀히고 개인적인 관계를 대체할 수 있다고 믿었다.

그러나 아내가 하나님과의 개인적인 만남의 시간을 가지며 여성들의 경건한 기도 모임을 통해 멘토링을 받기 시작하자 그녀는 내게 성경적인 순종을 실천하기 시작했다. 처음에는 그것이 충격적으로 받아들여졌다. 그러나 다음 순간, 아내가 의사 결정의 짐을 내게 넘기려고 한다는 사실을 알고 갑자기 나 자신이 나 이외의 다른 누군가를 위한 의사 결정을 하는 데 필요한 지혜가 없다는 사실을 깨닫기 시작했다. 아내가 내게 의지하면서 우리 가족을 위해 내가 지혜롭고 현명한 의사 결정을 하리라 믿고 있는 상황에서 나는 닌처해지기 시작했다. 나는 어디에서 그 해답들을 얻을 것인가? 내가 어떻게 해야 할지를 모를 때 문제 해결을 위해 나는 누구에게 기댈 것인가?

나는 아내와 그녀의 기도 모임에서 나를 위해 기도하고 있다는 사실을 알았다. 누군가가 내게 앞으로 30일 동안 하루에 단 5-10분간만 하나님과 홀로 만남의 시간을 가져보라고 도전을 준 때가 분명 그 시기였을 것이다. "시편과 잠언에서 그 달의 며칠에 해당하는 장(章)을 찾아 읽은 다음 1분 정도 기도해보세요." 그런데 그 도전이 내 삶을 바꾸어놓았다. 그 몇 분이 모여서 지금의 모습이 되었고, 이제 하나님과의 개인적인 만남의 시간은 아침에 나를 잠에서 깨어나게 한다. 매일의 시작을 하나님과 함께하는 것이 이제 나의 일상이 되었다.

당신도 이 동일한 도전을 받아들였으면 한다. 그렇게 하면 당신의 인생 또한 분명히 달라질 것이다.

첫째 날 2 나무

주님, 당신께 예배하고 경배하기 위해 왔습니다.

당신은 크고 위대하시며 찬양받기에 합당하십니다.

당신은 만왕의 왕이요 모든 주의 주이십니다. 주님, 제 마음을 당신께 엽니다.

오늘 이 시간 제가 이해할 수 있는 방식으로 말씀해주옵소서.

예수님의 이름으로 기도드립니다. 아멘.

굳게 뿌리내림

예레미야 17장 5-8절을 읽으라.

이 말씀은 사람을 의지하는 자에 대해서 어떻게 묘사하고 있는가? 반대로 여호와를 의지하고 의뢰하는 자에 대해서는 어떻게 그리고 있는가?

이 말씀이 익숙한가? 지난 주 공부 가운데 시편 1편에서 배운 것과 같이 오늘 예레미야가 우리에게 가르쳐주고 있는 것은 바로 이것이다. '더위와 가뭄' (8절)이 올지라도 두려워 아니하고, 인생의 폭풍우를 인내하여 '결실이 그치지 아니하려면' 우리는 하나님 안에 굳게 심기운 나무가 되어야 한다.

나는 물이 귀한 반 건조 기후대인 서부 텍사스에서 자랐다. 그래서 시내와 강변 양쪽 둑을 따라 늘어선 키 큰 나무들을 보면 시내와 강이 어디에 위치하고 있는지 쉽게 알 수 있었다. 나무들이 많지는 않았지만 가장 튼튼하고 우람한 나무들은 언제나 강변에 자리하고 있었다.

경건한 아버지와 남편이 되는 데 필요한 능력은 우리 자신이나 다른 인생을 통해서는 올 수 없다. 그것은 하나님 아버지께로부터만 가능하다. 그분의 생명수가 그분의 말씀을 통하여 흐르고, 그분의 성령이 우리를 강하게 하며 능력을 주실 때 우리는 성장하고 성숙하며 또 지속적으로 열매를 맺을 수 있는 것이다. 우리가 하나님의 말씀을 공부하고 그분의 뜻을 구하면 우리는 그분의 임재 가운데 굳게 뿌리를 내리게 된다. 그때 하나님은 우리의 생명과 안전의 원천이 되신다.

갈라디아서 5장 22-23절을 읽고 썩지 않을 열매들에는 어떤 것들이 있는지 살펴보라.

우리가 사랑하는 사람들과 서로 사랑하고 화평하며 즐거워하고 온유로 대하는 것은 큰 특권이다. 또한 자비하고 양선하며 성실한 사람이 되고자 하는 것 역시 대부분의 사람들이 바라는 것이다. 물론 우리에게는 절제도 필요하다. 하지만 당신의 능력으로, 당신의 지식과 의지력으로 그런 사람이 된다는 것은 불가능하다.

그러나 당신의 삶을 예수님께 지속적으로 의지하고, 그분의 말씀을 읽고 연구하며 그것을 생활에 적용해나갈 때 당신은 그분의 성령을 통하여 새 생명과 지혜를 얻을 수 있다. 머지 않아 이러한 경건한 속성들이 하나씩 둘씩 당신의 삶에 드러날 것이다.

당신의 자녀들은 물가에 심기운 나무처럼 안정되고 흔들리지 않는 아버지를 원하고 있다. 그분 안에 굳게 심기운다는 것에 대해서 하나님은 오늘 당신에게 어떻게 말씀하셨는가? 당신 삶의 우선순위 가운데 변해야 할 부분은 없는가? 하나님이 당신을 변화시키시도록 허락할 수 있는가?

좋은 아버지 Tip

이번 주간에는 당신이 보는 모든 텔레비전 프로그램 및 영화 그리고 당신이 읽는 모든 잡지, 신문 기사의 목록을 미리 속에서 정리한 다음, 그것을 당신이 현재 행하고 있는 기도 및 성경 공부 모임들과 비교해보고, 소요되는 시간도 서로 대조해보라. 마지막 날에는 당신이 받은 느낌을 평가해보라.

둘째 날 2 반석

기도로 시작하기

찬양받기에 합당하신 주님! 당신을 찬양합니다.
당신의 능력과 지혜를 주심에 감사드립니다.
주님, 오늘 당신이 제게 보여주고자 하시는 모든 것에
제 마음을 활짝 엽니다.
예수님의 이름으로 기도드립니다. 아멘.

모래 위에 지은 집

나는 기독교 가정에서 자랐다. 우리 아버지는 우리가 매주일 출석하는 교회의 집사셨다. 대학생이 되면서 나는 우리 교회의 여러 활동에 적극적으로 참여했다.

결혼 후 드니스와 나는 교회에 정기적으로 출석했고, 성인들을 위한 성경 공부 반에서 교사로 섬겼다. 분명히 그 당시 우리가 섬겼던 모든 교회 모임 가운데서 하나님은 여러 번 우리에게 경건한 결혼 생활을 영위하는 법과 경건한 부모가 되는 법을 일러주셨을 것이다. 그러나 어찌된 영문인지 우리는 듣고 있지 않았다. 결국, 우리 가정은 빈약한 기초 위에 놓이게 되었다.

마태복음 7장 24-27절을 읽으라.

하나님의 말씀과 관련해서 우리가 해야 할 두 가지 일은 무엇인가?

마태복음 7장 25절을 다시 읽으라.

예수님은 그리스도를 따르는 우리에게 문제 없는 삶을 약속하지 않으셨다. 사실, 예수님은 우리에게 여러 가지 어려움이 따를 것을 아셨다.

당신의 삶에서 비나 창수 그리고 바람은 다음과 같은 상황을 의미한다.

_____ 결혼 생활의 어려움

_____ 경제적 곤란

_____ 아이들 문제

_____ 이혼한 아내와의 문제

_____ 과로, 그로 인한 시간 부족 및 체력 감소

_____ 법적인 문제

_____ 이사 문제

_____ 기타

_____ 위의 문제 모두 해당

나의 반석

사무엘하 22장 2, 3, 32, 33, 47절을 읽으라(여유가 있다면 22장 전체를 읽으라).

우리의 삶과 집의 기초가 될 반석은 누구인가?

인정하고 싶지 않을 수도 있지만, 우리에게는 굳건한 반석이 필요하다. 한순간 순풍에 돛 단 듯 승승장구하다가도, 다음 순간 회사의 구조 조정으로 당신은 실직할 수도 있다. 직업 전선에서 안정된 직장을 찾는 것은 뜬 구름을 잡는 것과 같다. 그러나 하나님의 말씀 위에 삶의 주초를 놓으면 당신의 인생 전부를 투자해도 안전한 곳을 발견할 수 있을 것이다.

마태복음 7장 26-27절을 읽으라.

예수님이 설명하신 어리석은 자는 예수님의 말씀을 들었으나 행하지 않았다는 사실에 주목하라. 이제 예수님께 이렇게 여쭈어보라. "주님, 혹시 주님이 말씀하신 것 가운데 제가 들었지만 그대로 행하지 않은 것이 있습니까?" 오늘 하루 중 15분을 내어 하나님의 임재 안에 잔잔히 거하라. 하나님이 당신에게 하고자 하시는 말씀이 있다면 무엇이든 말씀하시고, 당신은 온전히 귀 기울이겠노라고 말씀드리라.

좋은 아버지 Tip

아버지로서 당신의 역할은 자녀들의 훈련 조교가 되는 것이지 그들의 기분을 맞추는 존재가 되는 것이 아니다. 자녀들의 인격을 개발하는 것이 그들을 즐겁게 하는 것보다 더 중요하다.

• • • • • • • •
기도로 **시작**하기

아버지, 오늘 당신의 말씀의 잔을 마실 때
저를 가르쳐주시고 지혜를 주옵소서.
당신이 제게 보여주고자 하시는 그 진리에
당신의 빛을 비춰주옵소서.
예수님의 이름으로 기도드립니다. 아멘.

시편 119편 중 다음의 구절들을 읽으라.

A. 24, 105, 130절: 하나님 말씀의 어떤 속성이 기술되어 있는가? 이 부분에서 성경은 당신에게 어떻게 실용적인 자원이 될 수 있는가?

B. 142, 151, 160 상반절: 성경은 CNN 방송과 어떻게 비교되는가?

C. 152, 160 하반절: 성경은 신문과 어떻게 비교되는가?

D. 28, 50, 93절: 낙담될 때 성경은 어떻게 도움이 될 수 있는가?

E. 89절: 성경은 정치적인 면에서 볼 때 합리적인가? 그렇다면 그 이유는

무엇인가? 아니라면 그 이유는 무엇인가?

F. 98, 99, 100절 ? 당신이 '두뇌 집단' 보다 더 지혜로운 사고를 하고자 한다면 어떻게 해야 하는가?

시편 기자는 하나님의 말씀을 두고 어떤 결심을 했다.

시편 119편 57, 147절을 읽으라.
이 구절들에서 시편 기자는 어떤 결심을 했는가?

시편 119편 9-11절을 읽으라.
이 구절들에서 당신의 관심을 가장 많이 끄는 부분에 집중해보라. 그것이 의미하는 바를 몇 분간 생각해보라.

시편 119편 30-32절을 읽으라.
영어성경 NASB(New American Standard Bible)는 이렇게 기록하고 있다. "내가 성실한 길을 택하고 주의 규례를 내 앞에 두었습니다. 내가 주의 증거에 밀접하였으니, 내가 주의 계명의 길로 달려가겠습니다."

나는 오늘 선택을 해야 한다. 하나님을 향해 달려갈 것인가, 아니면 하나님으로부터 떠날 것인가? 때로 낙담하고 쓰러질 때 하나님께 나아가기보다는 하나님을 떠나기가 더 쉽다.

그러나 내게 위로와 도움이 절실할 때 성경보다 더 큰 힘이 되는 것은 없음을 알게 되었다. 몇 년간의 경험을 통해서 나는 상처를 받거나 혼란스러울 때 하나님과 그분의 말씀 앞으로 달려가야 한다는 것을 깨달았다. 성경은 초자연적인 책으로 당신이 지금 있는 바로 그곳에서 당신을 만나줄 것이다. 나는 성경을 읽을 때마다 성경이야말로 CNN 방송보다 더 새롭고, 〈월 스트리트 저널(Wall Street Journal)〉보다 더 정확하다는 사실에 놀란다. 거기서 나는 힘과 격려와 마음의 평화를 얻는다.

매일 이 책의 하루치 분량을 읽어나감으로써 당신은 이미 바른 길로 들어선 셈이다. 성경을 항상 곁에 두고 해당 구절들을 찾아보라. 내가 하는 말은 누구의 삶도 변화시킬 수 없지만, 성경 말씀은 당신을 변화시킬 것이다.

좋은 아버지 Tip

오늘 당신이 읽은 구절 가운데 하나를 택해서 하나님께 기도로 그 내용을 알려드리리. 그래서 그 진리의 말씀이 당신의 삶 속에서 헌실로 이루어지도록 간구하라. 그 다음에는 아내와 자녀들 하나하나를 위한 적절한 말씀을 택해서 그들을 위해 기도하라. 매일 기도 시간에 이것을 습관화해보라.

넷째 날 날선 검

시편 119편 129-131절을
하나님께 기도로 아뢰면서 오늘 공부를 시작하라.
이 능력의 말씀을 당신의 것으로 만들어서
오늘 하나님을 향한 마음의 외침이 되게 하라.

좌우에 날선 검

히브리서 4장 12-13절을 읽으라.

성경이 어떤 무기로 비유되고 있는가? 그 무기는 얼마나 큰 해를 입힐 수 있는가?

〈삼총사(Three Musketeer)〉나 검투 장면을 잘 보여주는 〈조로(Zorro)〉 같은 류의 영화나 드라마를 본 적이 있는가? 도끼나 총으로 싸우는 것과는 달리 검은 적을 찌르면 주변의 다른 부위들을 별로 상하게 하지 않고도 **뼈까지** 이르도록 살을 완전히 베어버릴 수 있다.

히브리서 저자는 하나님의 말씀이 어떤 일을 행하는지 우리에게 설명하고 있다. 그 말씀은 생명이 없는 먼지 나고 낡은 책이 결코 아니다. 그것은 외과 의사의 메스와 같다. 우리의 심장을 찔러서 우리 마음속 깊은 생각과 뜻을 드러낸다. 성경은 언제나 말씀에 노출되는 사람들의 마음을 연단시키고, 변화시키며, 정화시킨다.

성경은 살아 있다. 성경은 운동력이 있다. 성경의 각 페이지마다 인쇄된 글들은 단순한 문자가 아니다. 그것은 당신을 향한 하나님의 생각들을 개인적인 편지의 형태로 표현하기 위해 그렇게 기록된 것이다.

당신의 속마음이 어떤지 정말로 알고 싶은가? 나는 알고 싶다. 나 자신을 엄청나게 힘들게 했던 나쁜 습관과 태도들로부터 자유로워지고 싶다. 나는 이제 현실을 박차고 내 원래의 모습으로 돌아갈 준비가 되었나. 당신노 준비되었는가?

히브리서 4장 13절은 우리를 좀 낙담시키는 말씀이다. "지으신 것이 하나라도 그 앞에 나타나지 않음이 없고 오직 만물이 우리를 상관하시는 자의 눈앞에 벌거벗은 것 같이 드러나느니라." 그렇다. 만물은 하나님의 눈 앞에 벌거벗은 것 같이 다 드러나게 될 것이다! 그렇다면 하나님에게서 숨거나 피해보아야 아무 소용이 없다. 최선책은 그분에게로 돌아가서 그분의 말씀을 읽고, 우리를 변화시키는 하나님의 역사하심에 우리 자신을 내어 맡기는 것이다.

예수님, 당신의 말씀이 살아 계심에 감사드립니다. 제가 당신의 말씀을 읽고 공부할 때마다 그 말씀이 제 마음속 깊은 곳까지 이르러 저를 변화시켜주시기를 기도드립니다. 당신의 말씀으로 저를 깨끗게 해주옵소서. 예수님의 이름으로 기도드립니다. 아멘.

좋은 아버지 Tip

매일 밤 자녀가 잠들기 전에 축복의 말을 해주라. 할 수 있다면 민수기 6장 24-26절 말씀을 암기해서 들려주라. 그 다음 축복 기도를 해주고, 마지막으로 그 아이를 당신에게 선물로 주신 하나님께 감사하라(시 127:3). (당신의 자녀는 아무리 나이가 들어도 언제나 당신의 이런 기도가 필요한 존재다. 절대 인정하려 들지 않겠지만 요즘의 영악한 10대 아이들조차도 마찬가지다.) 부모로서 자녀에게 하나님의 도를 가르칠 시간을 주신 데 대해 하나님께 감사하라.

"여호와는 네게 복을 주시고 너를 지키시기를 원하며 여호와는 그 얼굴로 네게 비취사 은혜 베푸시기를 원하며 여호와는 그 얼굴을 네게로 향하여 드사 평강 주시기를 원하노라"(민 6:24-26).

기도로 **시작**하기

아버지, 당신의 말씀에 대해 제가 갈급하고 목마르게 해주옵소서.
그리고 배부를 때까지 저를 먹여주옵소서. 빵으로만 사는 것이 아니라
당신의 입에서 나오는 모든 말씀으로 사는 것이 어떤 의미인지를
제게 가르쳐주옵소서. 제 마음을 활짝 엽니다. 생명의 떡으로
저를 배부르게 하옵소서. 주의 존귀하신 이름으로 기도드립니다. 아멘.

살아 있는 말씀

당신은 하나님이 하늘에서 내려오셔서 당신과 얼굴을 맞대고 앉아 이야기
할 수 있다면 얼마나 좋을까 하고 생각해본 적이 있는가?

요한복음 1장 1절, 14 상반절을 읽으라.
하나님의 말씀이 어떻게 육신이 되었는가?

이 구절에서 예수님은 무엇이라 칭해지고 있는가?

하나님은 왜 자신의 말씀이 육신이 되기를 바라셨다고 생각하는가?

하나님은 자신의 말씀을 육신으로 옷 입히셨다. 예수님은 육신의 옷을 입고 다니는 실제 하나님의 말씀이었다. 그래서 우리는 기록된 말씀뿐만 아니라 인간들이 보고 듣고 만질 수 있는 말씀, 즉 생명이 있고 숨쉬며 인간의 모습을 취한 하나님의 말씀까지도 소유할 수 있게 되었다. 예수님은 우리 죄를 위하여 죽으시기 위해 이땅에 오셨다. 또한 그분은 우리와 교감하기 위해 오셨다.

폴 하비(Paul Harvey)는 크리스마스 때만 되면 다음과 같은 이야기를 들려준다. 한 농부가 있었다. 그는 예수님을 믿지 않았지만, 다른 모든 가족은 예수님을 믿었다. 어느 크리스마스 전날 밤, 다른 가족들이 모두 교회로 예배드리러 떠난 후 그는 난롯가에 홀로 앉아 신문을 읽으며 커피를 마시고 있었다. 잠시 후 그는 유리창에 무엇인가 부딪히는 소리를 들었다. 그때 그가 발견한 것은 새 한 마리가 불빛이 있는 곳으로 날아들려다가 유리창문에 막혀 못 들어오고 있는 광경이었다. 살을 에는 듯한 추운 그 밤, 그 새는 계속해서 닫힌 창문을 향해 날아들었다. 마음이 측은해진 농부는 추위에도 불구하고 밖으로 나가 그 가여운 생물에게 헛간문을 열어주었다. 그러나 그 새는 그를 보고 놀라기만 할 뿐 따뜻한 곳으로 들어가려고 하지 않았다.

그때 농부는 생각했다. "내가 저 새의 언어로 말을 할 수 있다면 나는 단지 자기를 구해주려는 것뿐이라고 말해줄 텐데! 안에 들어오면 죽음을 면할 수 있는데도 저렇게 추위 속에 떨고 있다니 참 어리석은 새구나." 그런데 그 순간 갑자기 그 불빛이 그를 비추었다. 안에서 자기를 보고 계시는 하나님과 추위 속에 서 있는 자신을 발견했다. 그것은 구원을 거부하는 불쌍한 한 피조물의 모습이었다. 순간 그는 무릎을 꿇고 말았다.

새가 이해할 수 있는 방식으로 말하고 싶어했던 그 사람처럼 하나님은 자신의 기록된 말씀과 자신의 살아 있는 말씀, 즉 예수님을 통하여 당신에게 말씀하고 계신다. 성경은 초자연적인 책이다. 당신이 성경을 읽을 때 성경은 당신의 현재 상황에 꼭 맞는 말씀을 하고 있음을 발견하게 될 것이다. 하나님의 살아 있는 말씀인 예수님이 운동력 있는 하나님의 기록된 말씀을 취하셔서 당신이 성경을 읽고 있는 그 순간 그 말씀을 당신의 개인적인 것으로 만들어주신다. 그러므로 시간을 투자해서 당신을 향한 하나님의 메시지를 읽고 깊이 묵상하며 흡수하라.

좋은 아버지 Tip

오늘 당신의 아들과 딸을 위해 기도하라(그리고 사위, 며느리, 손자 손녀까지). 하나님은 당신의 자손들에게 그들의 발에 등이자, 그들의 길에 빛이 되는 그분의 말씀에 대한 갈급함을 주실 것이다. 가정의 영적 지도자인 당신에게 쉬지 않고 성경을 읽고 공부하고 싶은 강한 열망을 달라고 하나님께 간구하라.

안식일 학습

개인별 맞춤 메시지

디모데후서 3장 16-17절을 읽으라. 이 구절에서 성경은 당신에게 어떤 면에서 유익함을 주는가?

방금 읽은 말씀의 바로 앞 절인 디모데후서 3장 15절을 보라. 성경은 당신에게 어떤 면에서 유익하다고 말씀하는가? 당신의 자녀들에게 그리고 그들을 교육시키는 데 도움이 되는 진리가 이 말씀 가운데 있는가?

신명기 8장 3절을 읽으라.

사람이 떡으로만 ＿＿＿＿ 아니요 ＿＿＿＿＿＿＿＿＿＿＿＿＿＿＿.

우리는 우선순위를 혼동하기가 매우 쉽다. 많은 경우, 우리는 삶에서 가장 중요한 것을 '일' 이라고 생각한다. 일을 해서 가족을 먹여 살리기 때문이다. 우리가 하는 일과 기타 다른 행위들은 바로 우리가 먹고 사는 '빵' 이 된다. 그러나 하나님의 말씀은 우리에게 다른 관점을 제시한다. 우리는 여호와의 입에서 나오는 모든 말씀으로 살아야 한다는 것이다. 여기에는 성경 공부뿐만 아니라 하나님의 말씀에 귀 기울이는 것도 포함된다.

하나님의 말씀을 경청하기

하나님의 말씀을 듣는 것은 영적인 훈련이 필요하다. 다음은 그 훈련 과정의 기본 요소들이다.

- 하나님의 말씀을 듣기 위해 몇 분 동안 침묵 시간을 가지라. 어린아이처럼 되어야 한다. 열린 마음과 믿음으로 진실하게 아버지 앞에 나아가면 그분은 반드시 응답하실 것이다. 훈계가 필요하면 훈계도 주실 것이다. 목자의 음성을 들을 때까지 그분 앞에서 기다리라.
- 이것이 하나님의 음성이다라고 생각되는 것을 적으라. 기록하는 것은 중요하다. 왜냐하면 믿지 않을지도 모르지만, 하나님이 당신에게 하신 말씀을 잊어버릴 수도 있기 때문이다. 또한 당신은 당신의 삶 속에서 행하시는 하나님의 역사도 기록할 필요가 있다.
- 하나님이 당신에게 말씀하신 것을 아내와 함께 나누라. 하나님은 여성에게 남성과는 전혀 다른 혜안을 주신다. 하나님이 당신에게 말씀하고 계시는 것을 당신이 제대로 인지하고 있다는 확신을 아내가 갖지 못한다면 며칠 동안 그 문제를 놓고 함께 기도하라. 만약 하나님의 음성이 분명하다면 주변의 모든 경건한 조언자들도 공감하게 될 것이다.
- 주님의 음성을 듣는 데 민감하다고 생각되는 사람으로서 경건하고 당신보다

나이가 많은 분의 조언을 구하라. 나는 우리 부모님과 처가 부모님께 자주 전화를 건다. 그 분들은 모두 내게 유익한 조언을 해주시는 경건한 자원이다. 주님은 나에게 복된 많은 관계들을 허락하셔서 많은 문제에 대해서 '경험이 풍부한' 이런 어른들을 만나도록 해주셨다. 또한 나는 나의 영적인 지도자 가운데 한 분인 목사님께도 전화한다. 목사님은 중요하고 어려운 결정의 순간마다 많은 도움을 주셨다.

• 주님의 메시지가 분명하다면 성경과 완전히 일치할 것이다. 실제로, 기도 가운데 하나님이 당신에게 잠잠히 말씀하시는 모든 것은 당신이 성경을 읽어나갈 때 명확해진다.

하나님과의 시간을 더 많이 가질수록 하나님이 말씀하실 때 잘 듣고 잘 깨달을 수 있다. 그분이 당신의 친구가 되실 때 당신은 그분의 음성을 알아들을 수 있다. 하나님이 내게 말씀하실 때 나는 평안과 질서로 채워짐을 느낀다. 또 때로는 내가 불순종할 때 하나님은 죄의 깨달음을 허락하셔서 그 죄에 대해서 구체적으로 말씀하고 계시는 것을 듣게 된다. 그것은 자신에 대한 일반적인 나쁜 감정(대개 이것은 위험하다)이 아니라 죄지은 부분을 회개하고 하나님께로 돌아가야 한다는 통렬한 자기 반성이다.

또 때로는 하나님이 침묵하시는 것같아 그분의 음성을 들을 수 없는 때도 있다. 그럴 때면 나는 고요히 인내하며 기다리는 법을 배웠다. 그분이 내게 말씀하셨다는 확신이 서지 않는 한 나는 의사 결정을 진행시키지 않는다. 그분은 때로 이처럼 '은밀히' 일하기도 하신다. 하나님의 '침묵'은 내 믿음을 더 강하게 하고, 많은 경우 그분이 말씀하고자 하시는 바를 위해 나를 준비시키시는 과정이다. 그분의 때가 이르면 하나님은 말씀하실 것이다. 때문에 나는 들을 준비를 하고 있다.

주님, 제가 사는 세상은 저의 관심을 사로잡는 온갖 광경들과 소리들로 제 감각을 마비시키고 있습니다. 저는 당신의 음성을 듣고 싶지만 주위의 소음들을 차단시키기가 어렵습니다. 주님, 당신의 조용하고 세밀한 음성을 제가 듣고 이해할 수 있는 방식으로 말씀해주십시오. 예수님의 이름으로 기도드립니다. 아멘.

기도 제목

개인적으로 이 책을 공부하고 있다면 당신과 가족들의 기도 제목을 적으라. 만일 그룹으로 이 책을 공부하고 있다면 기도 시간을 절약하기 위해 5-6명 정도의 소기도 모임으로 나누라. 이번 주 동안 집에서 잊지 않고 기도할 수 있도록 다음에 기도 제목을 기록하라.

3

하나님과 남성의 관계 I

신뢰하는 법 배우기

당신이 영적 탐험의 어느 단계에 와 있는지는 알 수 없으나

당신 앞에 놓인 분명한 선택은 당신이 하나님을 신뢰할 것인가 하는 문제다.

하나님은 당신의 삶 속에서 그분을 신뢰하도록 요구하는 상황들을 허락하실 것이다.

이번 주는 우리의 가장 우선순위인 '하나님과의 관계'에 초점을 맞추고 있다.

이 관계의 핵심은 바로 신뢰다. 이번 주 공부를 시작하기 전에 당신에게 한 가지 질문을

던지고자 한다. 당신은 하나님을 온전히 신뢰하지 못하도록 방해하는

그 어떤 것이라도 내려놓을 준비가 되었는가?

진정한 안식일 경험하기

하나님을 신뢰하는 법을 배우는 것은 그분 안에서 쉬는 법을 배우는 것도 포함한다. 하나님은 안식일을 만드시고, 문자 그대로 우리가 일주일에 하루를 쉬면서 신뢰의 행위를 표현하도록 하셨다.

오늘날 안식일을 성수하는 것은 마치 지금은 사라져버려 기법을 알 수 없는 예술과도 같다. 일주일에 한 번 가족들을 위해 그들의 지친 몸과 마음과 정신을 달랠 수 있는 평안한 분위기를 만들어주는 방법은 무엇일까? 주일이 그 주의 가장 스트레스 받는 날이 되지 않도록 하는 방법은 무엇일까? 가족들이 안식일을 거룩하게 지키며 예배와 안식과 하나님의 백성들과의 교제를 위해 구별되도록 도와줄 수 있는 방법은 무엇일까?

매주 가족들과 안식일을 지키는 데 있어 직면하는 도전들은 어떤 것들인가? 그 문제들 가운데 몇 가지를 해결할 수 있는 방법 세 가지를 들어보라. 교회에서 드리는 예배, 오후 낮잠, 기도 시간, 믿는 사람들과의 교제, 읽지 않고 꽂아둔 기독교 서적을 읽기도 하면서 꽤 오랜 시간 동안 갖는 경건의 시간(Q.T), 특별한 가족 음식. 이 가운데서 매주 가족들의 안식일 행사 가운데 포함시키고 싶은 것은 무엇인가?

교회의 일원이 되는 것은 다른 믿는 사람들과의 교제에 중요하고도 필수적인 요소다. 나는 당신이 성경 중심적인 교회를 찾아서 그 교회의 적극적인 일원이 되기를 권한다. 매주일마다 예배에 참석하고, 성경 공부 소그룹에도 가입하라. 자녀들이 교회 활동에 적극적으로 참여하게 하는 것은 그들에게 여러 모로 도움이 된다. 먼저, 그들은 하나님에 대한 가르침을 배운다. 둘째, 그들은 또래의 다른 그리스도인들을 만날 기회를 갖게 된다. 셋째, 그들은 기독교 문화 속에서 자신들을 사랑하고 기도해주며 또 후원해줄 수 있는 공동체의 일원이 된다. 그리고 마지막으로 그들이 어려움에 빠지지 않도록 도와주는 안전지대에 속하게 된다.

그러나 교회에 가는 것이 그 주의 가장 축복받는 일이 될 수도 있고, 어쩌면 악몽과 같은 일이 될 수도 있다. 주일 아침에 가족들이 모두 정결한 몸과 마음으로 집을 나서도록 하는 일은 불가능한 꿈처럼 보이고, 또 이렇게 부산을 떠는 일이 주일 성수와는 거리가 멀어 보일 수도 있다. 하지만 그렇지 않다. 주일 아침을 기대하게 만들어주는 방법이 하나 있다.

먼저, 토요일 밤에 가족들을 잘 준비시키는 것부터 시작하라. 그 준비에 도움이 되는 몇 가지 아이디어가 있다.

1. 주일 아침을 즐겁게 맞이하기 위하여 토요일 밤에 충분한 휴식을 취하도록 가족들을 독려하라. 아버지여, 당신이 모범을 보여야 한다.

2. 영을 흐리게 하는 텔레비전과 영화 관람을 피하라.

3. 주일 아침 교회에 가기 전에 경건의 시간을 가지라. 다른 가족들을 깨우기 전에 잠시 기도하라. 그것이 당신의 마음을 주님께 고정시켜줄 것이다. 예배 중에 하나님이 당신에게 말씀하시도록 간구하라.

4. 때로는 주일 오후 늦게까지 금식해보라. 예배 중에 그리고 그날 온종일 하나님의 음성에 대해 당신은 더욱 민감해질 것이다.

5. 주일 전날 교회 목사님과 성경 공부 교사를 위해 기도하라.

첫째 날 3 전심으로

기도로 **시작**하기

주 예수님, 제 삶을 드립니다.
당신의 모든 것을 신뢰합니다.
제 삶을 당신의 뜻대로 취하시고 사용해주옵소서.
예수님의 이름으로 기도드립니다. 아멘.

여호와를 의뢰하라

앞으로 우리 삶의 우선순위들을 차례대로 공부해나갈 것이다. 지난 주 우리는 우리 삶의 기초를 하나님의 말씀 위에 두었다. 이제 우리는 그 기초 위에 삶의 주춧돌을 하나씩 쌓아나갈 것이다. 우리 삶의 우선순위들은 다음과 같다.

- 하나님과의 관계
- 아내와의 관계
- 자녀와의 관계
- 우리의 직업
- 우리의 사역

이 우선순위에 맞게 살아가는 사람은 자신과 자녀들 그리고 또 그들의 자녀들의 인생에 영원한 영향을 미칠 수 있다. 하나님은 당신에게 삶의 우선순위를 제시해주셨다. 그것을 따를 때 주어지는 만족은 당신의 상상을 초월할 것이다.

잠언 3장 5-6절을 읽고 하나님과의 관계를 살펴보자.

"너는 마음을 다하여 여호와를 의뢰하고 네 명철을 의지하지 말라"(5절).
"너는 범사에 그를 인정하라 그리하면 네 길을 지도하시리라"(6절).

이 구절의 핵심 단어는 무엇인가?

웹스터 영어 사전(Webster's dictionary)은 '의뢰'를 '어떤 사람이나 사물의 인격, 능력, 힘 혹은 진실에 대한 전적인 신뢰' 그리고 '믿을 수 있는 사람이나 사물'이라고 정의하고 있다.[1] 이제 돌아가서 이 정의를 잠언 3장 5절과 비교해보라.

우리는 이 말씀을 다음과 같이 고쳐 써볼 수 있다. "너는 마음을 다하여 여호와의 인격과 능력, 힘 그리고 진실을 전적으로 신뢰하고 네 명철을 의지하지 말라." 이제 당신에게 묻고 싶다. 당신은 그 정의대로 하나님을 의뢰하고 있다고 자녀들에게 솔직히 말할 수 있는가?

당신은 이미 예수 그리스도를 당신의 구주로 영접했을 것이다. 당신의 죄를 용서하시고 당신 안에 오셔서 거하시기를 요청했는지도 모른다. 그러나 당신은 그 처음의 관계를 너머서 그분을 당신 인생의 주님으로 영접한 적이 있는가?

예수님을 인생의 주님으로 모시기 위해서는 자기 자신이 아니라 예수님 그분을 의뢰해야 한다. 삶의 모든 구석에 대한 권한을 그분께 양도해야 한다. 결혼에서부터 재정적인 문제 및 자녀 문제에 이르기까지 예수님을 주인으로 모셔야 한다. 당신은 그분을 그 정도까지 의뢰할 수 있는가? 지금 바로 몇 분 정도 시간을 내어 기도하라.

좋은 아버지 Tip

예수님에 관한 이해하기 쉬운 복음을 자녀와 함께 나눌 순비를 하라. 이렇게 함으로써 예수님의 구원 계획을 어린 자녀와 함께 나눌 수 있고, 만약 자녀가 십대라면 그 아이가 자신의 문제를 하나님께 맡기도록 격려해주는 의미가 있다. 자녀들의 질문에 답할 이런 절호의 기회들을 놓치지 말라.

8 나의 피난처

주님, 저는 당신을 의뢰하기 원합니다. 제 안에 있는 두려움을 없애주옵소서.

아직도 저를 지배하는 욕망을 제거하여주옵소서.

저를 당신의 존귀한 아들의 형상으로 빚어주옵소서.

저의 소망이 주님께 있기에 저는 오늘 침묵하며 당신을 기다리기 원합니다.

예수님의 이름으로 기도드립니다. 아멘.

피난처의 의미

당신은 때로 힘겨웠던 하루를 마감하며 그대로 두 눈을 감고 세상을 등지고 싶었던 적은 없었는가? 눈을 떴을 때 세상이 감쪽같이 사라지고 없기를 바라면서 말이다. 당신이 나와 비슷한 사람이라면 주님께 "나를 데려가주세요"라고 호소하고 싶은 순간들이 있을 것이다. 나처럼 당신도 피난처로 옮겨지고 싶은 것이다. 그런 당신을 위해 기쁜 소식이 있다. 당신은 환난 중에도 평안과 위로를 얻을 수 있다.

시편 18편 1-3절, 시편 46편 1-3절, 시편 57편 1절, 신명기 33장 27절을 읽으라.

각 구절에서 공통된 단어는 무엇인가? 히브리어 '피난처(refuge)'는 '안식처(shelter)', '소망(hope)', '도피 장소(place of refuge)' 그리고 '신뢰(trust)'를 의미한다.[2]

주여 도와주소서!

당신이 어떤 상황 속에서 하나님께 피하고자 한다면 그 상황은 다음 중 어느 것일 수 있을까?

_____ 직장에서의 문제

_____ 막 걷기 시작한 말 안 듣는 아기, 징징대는 꼬마 녀석, 혹은 반항하는 십대 아이

_____ 아내와의 힘든 관계

___ 친척들 사이의 문제

_____ 재정적인 어려움

_____ 질병

_____ 그릇된 습관

_____ 나쁜 태도

_____ 다른 사람에게 내뱉은 욕설

_____ 극단으로 치닫는 생각

_____ 기타 : _____

시편 62편 5-8절을 읽으라.

8절을 다시 읽으라.

"백성들아 시시로 저를 의지하고 그 앞에 마음을 토하라 하나님은 우리의

피난처시로다"(시 62:8).

바로 지금이 당신 마음을 주님 앞에 쏟아놓고 그분의 피난처가 필요함을 아뢸 때다. 당신의 상황을 그분께 의뢰하기 어렵다면 주님 앞에 정직하게 나아가 아뢰라. 아직도 자신이 주인이 되고 싶은가? 아직도 과거의 두려움에 사로잡혀 있는가? 용서할 수 없는 마음을 품고 있는가? 누군가를 정죄하고 있는가? 아니면 당신은 단지 자신이 통제권을 갖고 싶고 자기 중심적일 뿐인가? 주님이 당신에게 말씀하시게 하라. 그리고 그분의 말씀에 귀 기울이라.

3 셋째 날 전능하신 하나님(엘 샤다이, EL SHADDAI)

기도로 시작하기

아버지, 저의 마음을 정결케 하옵소서.

고백해야 할 모든 죄와 고쳐야 할 모든 잘못이 드러나게 하옵소서.

오 하나님, 순전한 마음을 갖기 원합니다.

예수님의 이름으로 기도드립니다. 아멘.

두려움이냐, 믿음이냐

내 인생에서 가장 큰 도전 가운데 하나는 두려움이었다. 과거만큼은 아니지만 회사에서 중요한 프리젠테이션을 해야 할 일이 있을 때 아직도 잠을 이루지 못할 때가 간혹 있다. 남성으로서 내가 굳이 그것을 인정할 필요가 없다는 것을 알지만, 남성들이여, 우리가 좀 솔직해져야 하지 않겠는가. 많은 사람들은 이런저런 종류의 두려움을 안고 있다. 그런데 남성들의 경우 그 두려움은 대개 일의 성과나 자기 존재의 중요성에 초점이 맞추어져 있다. 우리는 모두 직업 전선에서, 경기장에서 그리고 인간 관계에서 승리하기를 원한다.

하나님이 우리를 강하게 하셔서 우리 가족들을 부양하고 보호하며 또 지킬 수 있도록 우리에게 허락하신 것이 바로 우리의 남성 자아다. 그런데 당신이 자신의 힘을 과신하게 되면 당신은 적의 공격에 노출되게 된다. 적은 당신의 자아를 당신의 가장 큰 약점으로 만들 것이다. 자신이 실패자라는 쓰디 쓴 씨앗을 당신의 마음에 심기만 하면 그의 임무는 끝난다. 당신이 자신의 성과에 믿음을 두고, 성취한 업적에서 자신의 의미를 찾는다면 당신은 실패의 두려움에 시달리게 될 것이다.

그러나 하나님은 우리가 적의 공격을 받을 때를 대비해 말씀을 주셨다. 이 말씀들은 내 인생에서 두려움을 극복하는데 대단히 큰 영향을 미쳤다. 이 말씀들을 읽으며 위로를 얻으라.

시편 91편 1-2절을 읽으라.
이 구절에 나타난 하나님의 네 가지 호칭은 무엇인가?

하나님의 돌보심을 설명하는 네 가지 단어는 무엇인가?

지존자요 전능자요 주님이신 여호와가 당신의 안식처와 그늘이 되시며 피난처와 요새가 되어주실 것이다.

이제 시편 91편 3-16절을 읽으라.
당신의 두려움을 극복하는데 가장 도움이 되는 절을 찾아서 다시 한번 읽으라.

의뢰하는 것을 연습하라

두려움이 하나님께 대한 의뢰를 방해한다면 오늘 시간을 좀더 내어 다음 구절들을 묵상해보라.

시편 56편 3-4절과 시편 27편 1-5절을 읽으라.

주님, 제가 주님을 온 마음을 다해 신뢰하고 순종하기를 원합니다. 이제 저는 제 의지적인 행위로 제 모든 짐의 무게를 당신 앞에 내려놓습니다. 당신이 저를 안위하시고 보호해주실 것을 믿습니다. 주님 사랑합니다. 예수님의 이름으로 기도드립니다. 아멘.

좋은 아버지 Tip

1. "그러면 호랑이가 널 잡아갈 거야"라고 위협해서 어린 자녀를 놀라게 하지 말라. 자녀들의 마음에 비합리적인 두려움을 조장할 수 있다.

2. 십대 자녀가 운전 면허증을 따게 되면 운전하고 싶어 안달을 할 것이다. 그럴 때 올바른 경고와 과장된 두려움을 잘 섞어 균형잡힌 조언을 해주라.

8 너희가 내 안에, 내가 너희 안에

넷째 날

● ● ● ● ● ● ● ●
기도로 **시작**하기

오늘의 시간을 기도로 시작하라.

범사에 하나님께 대한 전적인 신뢰를 연습하라.

하나님의 돌보심에 내어 맡기는 것들을 열거해보라.

어떤 상황에서도 하나님께 감사하라.

그리스도 안에 있는 안전

요한복음 14장 20절을 읽으라.

당신이 하나님을 신뢰할 때 그분은 어디에 계시는가?

요한복음 14장 20절의 도식을 머리 속에 그려보라. 네 개의 동심원이 있으면 각각에 이 절의 말씀을 따라 이름을 붙여보라. 제일 큰 원은 '하나님', 다음은 '예수님', 그 다음은 '나 자신' 그리고 가장 작은 원도 역시 '예수님' 이라고 이름을 붙이라.

당신이 예수님을 당신 마음속에 모시고 그분의 자녀가 되었다면 예수님이 아버지 '안'에, 당신이 예수님 '안'에 그리고 예수님이 당신 '안'에 계심을 보는가? 당신이 여호와를 의뢰할 때 그분은 어디 계시는가? 그것이 당신을 어떻게 안전하게 하는가? 당신은 하나님을 신뢰할 수 있는가?

1950년대 중국에서 활동한 선교사 버사 스미스(Bertha Smith)는 중국인 새 신자들에게 바구니들을 이용하여 이 예화를 가르쳤다. 각각의 바구니는 서로 다른 바구니 안에 들어가 있었다. 그녀는 이렇게 가르쳤다. "예수님은 당신 안에도 계시고 바깥에노 계십니다. 안과 밖 외에 당신이 또 가진 것은 없습니다."

사랑이 많으신 하늘의 아버지가 허락하시지 않는 일은 그 어떤 것도 일어날 수 없다. 하나님이 어떤 상황이 우리에게 닥치도록 허락하실 때는 그분이 우리를 대신하여 그 상황을 주관하실 수 있도록 우리 안을 채워주신다. 우리가 할 일은 하나님을 신뢰하는 것이다. 그러면 하나님이 일하신다. 그분에게 불가능이란 없다. "대저 하나님의 모든 말씀은 능치 못하심이 없느니라"(눅 1:37).

오늘 시간이 된다면 에베소서 1장 전체를 읽으라. 이 장에서 '그 안' 또는 '그리스도 안'이라고 적힌 부분을 모두 원으로 표시하라. 3절에서 우리가 '그리스도 안에' 있는 결과로 무엇을 얻는다고 말하는가?

내 친구 가운데 한 명이 최근 스쿠버 다이빙을 하다가 사고를 당했다. 다이빙 중에 그의 산소 주입 마스크가 고장이 난 것이다. 그래서 캄캄한 물 속에서 친구에게 손을 내밀어 그의 산소 마스크를 나눠 사용했다. 그 친구의 비상 산소까지 바닥나자 그는 우리 친구에게 자신의 산소 마스크를 건넸다. 친구가 처음에 들이킨 것은 산소가 아니라 짠 바닷물 두 모금이었다. 그는 익사 직전에 놓여 의식을 잃기 시작했다. 바로 그때 한 강한 손이 그를 잡고 산소 마스크를 그의 입에 밀어넣어주었다. 마침내 깨끗한 산소가 그의 폐에 차기 시작했다.

에베소서 1장 3절은 우리가 그리스도 예수 안에서 모든 '신령한 복'을 받았다고 말씀한다. 여기서 '신령한(spiritual)'이란 단어는 그리스어 프뉴마티코스(pneumatikos)를 번역한 말로 '숨쉬다(breathe)' 혹은 '불다(blow)'를 뜻하는 '프뉴마(pneuma)'에서 파생되었다. 하나님은 창조 당시 아담에게 생기를 불어넣으셨고, 이제 당신에게 영적 생명의 호흡을 불어넣고 계신다. 하나님은 당신의 영적인 폐 안에 그분의 생명으로 채우시는 동안 영원하신 팔로 당신을 붙잡고 계신다. 그분이야말로 당신이 의뢰할 수 있는 여호와이시다.

좋은 아버지 Tip

아버지들이여, 자녀들은 당신을 신뢰하고 있다. 아이들이 수영장에서 점프할 때나 공원의 놀이 기구에서 뛰어내릴 때 당신은 그들을 당신의 팔로 붙잡아준 적이 한두 번은 있을 것이다. 그 순전한 믿음을 저버리지 말라. 아이들에게 어떻게 해주겠다고 말할 때 반드시 그 약속을 지켜야 한다.

3 다섯째 날 20/20 비전

로 **시작**하기

주님, 당신을 경배합니다.
당신은 거룩하시고 강하시며 위엄이 높으십니다.
하늘과 땅에 당신 같은 이가 없습니다. 당신 앞에 겸손히 굴복합니다.
저를 받아주옵소서. 저의 현재와 미래를 모두 받아주옵소서.
예수님의 이름으로 기도드립니다. 아멘.

두려울 때 누구를 의뢰하는가

여호사밧은 이스라엘이 북 이스라엘과 남 유다로 나누어져 있을 때 유다
의 왕이었다. 우리는 그의 절체절명의 순간을 조명하여 여호와를 의뢰하는 일
에 있어 몇 가지 원칙을 발견하고자 한다. 이 이야기는 마치 소설과도 같다.
재미있게 공부하면서 환난 가운데 여호와를 의뢰하는 문제에 관한 놀라운 진
리들을 배우라.

역대하 20장 1-3절을 읽으라.

여호사밧은 큰 문제에 직면해 있었다. 이 문제에 대한 그의 세 가지 반응
은 무엇이었는가?

모압 자손과 암몬 자손(오늘날 요르단 지역)들이 이스라엘을 치러 오고 있었다. 이스라엘 백성은 숫적으로 완전히 열세였다. 그것은 종말을 예고하고 있었다. 성경은 여호사밧이 두려워했다고 말한다. 성경은 평범한 일상을 살아가고 있는 사람들을 초인적인 영웅으로 만들려고 하지 않는다는 점이 마음에 들지 않는가? 여호사밧은 환난 가운데 있었으며 두려워하였다.

당신도 무엇을 두려워하고 있지 않은가? 그렇다면 여호사밧이 행한 대로 해보라. 그가 두려움과 근심에 직면했을 때 처음으로 보인 반응은 오직 여호와만 바라보고 온 유다에 금식을 선포한 것이었다. 그는 여호와를 의뢰하며 그분의 음성을 듣는 일에 집중했다.

4-12절을 읽으라.
여호사밧과 유다 백성들이 어떻게 행동했는지를 주목하라. 12절 말씀에 밑줄을 그으라. 여호사밧이 하나님께 자인한 두 가지 약점은 무엇인가?

여호사밧은 자신이 능력이 없고 어찌해야 할지도 모른다고 고백했다. 그는 기도한 후 자신의 연약함을 인정했다. 즉 여호사밧은 기도하기 시작했으며, 모든 상황을 주관하시는 하나님의 주권과 능력을 인정했다. 그는 자신이 처한 상황을 아뢴 다음 하나님이 그 문제를 어떻게 해결하실지 전심으로 기다렸다.

나는 이 장을 성경의 20/20 비전 장이라 부른다. 여호사밧은 역대하 20장 20절에서 오직 주님만 바라보았다. 그리고 그는 실제로 그의 적들이 자멸하는 것을 지켜보았다.

좋은 아버지 Tip

당신의 모든 두려움과 염려를 종이 한 장에 기록하라. 충분한 시간을 가지고 지금 현재 당신의 인생을 공격하고 있는 모든 두려움의 목록을 만들라. 하나님께 나아가 당신의 마음에 있는 모든 것을 아뢰라. 더 이상 기도할 수 없을 때까지 계속 기도하라. 그리고 그 짐들을 주님께 다 내려놓을 준비가 되었을 때 종이에 불을 붙이고 돌돌 말아 쓰레기통에 집어던지라. 나머지는 하나님이 책임지실 것이다.

안식일 학습

여호와께 의뢰하는 단계

역대하 20장 12절을 읽으라.

여호사밧은 자신에게는 능력이 없고 어찌해야 할 바를 모른다고 고백했다. 하나님께 의뢰하는 첫 단계는 당신은 약하고 그분은 강하심을 인정하는 것이다. 그리고는 자녀와 함께 '예수 사랑하심은' 찬송을 부르며 첫 절 끝부분 가사에 귀를 기울이라. '우리들은 약하나 예수 권세 많도다.' 당신이 믿는 힘을 내려놓고 예수님께 당신은 연약한 소자(a little one)라는 사실만을 아뢰라. 그리고 그분의 권세 많으심을 찬양하라.

유다 백성들이 그들의 눈으로 본 것은 무엇인가? 그리고 그것은 무엇을 의미하는가?

하나님을 의뢰하는 데 있어 두 번째 단계는 당신의 마음을 주님께 고정시키는 것이다(이 책의 자매 도서인 「아버지들을 위한 자유(Freedom for Fathers)」에서는 우리 마음을 주님께 고정시키는 법에 대해 한 주간을 할애하고 있다). 당신의 눈이 주님께 고정되어 있으면 상황이나 환경을 바라볼 수 없다.

역대하 20장 15, 17절을 읽으라.

이 전쟁은 누구에게 속한 것인가? 하나님인가, 여호사밧인가?

하나님을 의뢰하는 데 있어 세 번째 단계는 이 전쟁이 누구에게 속한 것인가를 깨닫는 것이다. 한때 나는 이런 말을 들은 적이 있다. "당신의 영적 성숙의 척도는 이 전쟁이 주님께 속한 것인지, 아니면 당신에게 속한 것인지를 얼마나 빨리 깨달을 수 있느냐 하는 것이다." 어려운 상황과 하나님을 의뢰하는 것 이 둘 사이의 경과 시간이 바로 당신의 성숙의 정도다.

이제 역대하 20장 18-22절을 읽으라.

하나님을 의뢰하는 네 번째 단계는 그분을 찬양하는 것이다. 여호사밧은 어떻게 행동했는가? 전쟁 중에 그는 찬양단을 모았다. 기가 막힌 일이지만 그는 정말 그렇게 했다. 사람들은 대개 찬양의 능력을 제대로 이해하지 못하고 있다. 22절의 말씀을 보라. "그 노래와 찬송이 시작될 때에 여호와께서 복병을 두어…." 당신도 이런 경험을 해보았는지 모르지만 하나님을 찬양하고 예배드릴 동안에는 어떤 것에 대해 계속 염려하는 것은 정말 어렵다. 내 생각에 그것은 거의 불가능하다. 그러므로 찬양을 시작해보라.

역대하 20장 23-30절에서 이 이야기의 나머지 부분을 읽어보라.

지금 당신이 직면하고 있는 '큰 적'은 무엇인가? 30절을 보라. 핵심 단어 두 개를 찾아보라.

고린도후서 1장 8-10절을 읽으라.

신약에 나오는 한 사람 역시 환난 속에서 하나님을 의뢰하는 법을 배웠다. 사도 바울은 한계 상황까지 이르러 마침내 살 소망까지 끊어졌다. 그는 자기 자신을 신뢰할 수 없다는 것을 알았다. 사도 바울이 이 절에서 하나님을 의뢰하는 이유로 든 것은 그분의 어떤 권세 때문이었는가?

10절의 마지막 부분은 이번 주의 주제곡이 될 수도 있다. 빈칸을 채워보라. "＿＿＿＿＿＿＿ 그를 의지하여 바라노라."

하나님을 의뢰하는 결과

당신이 두려움과 염려 속에서 하나님을 의뢰하기로 작정할 때 놀라운 일이 생긴다. 그것은 평화와 안위의 경험이다. 그것은 당신이 갈구하던 소망일 것이다. 물론 모든 문제에 대해 여호와를 의뢰하는 것이 당신의 뜻을 이루기 위한 요술 방망이가 될 수는 없다. 그러나 하나님이 자신의 뜻을 이루시기 위한 것이라면 그것은 기적의 방망이가 될 수 있다.

당신이 이번 주에 처음으로 주님께 나오는 사람이든, 하나님의 말씀에 노련한 베테랑이든지 간에 하나님은 전심으로 그분을 의뢰하는 것과 관련하여 우리 모두에게 하고 싶은 말씀이 있다. 마음을 다하여 여호와를 의뢰하는 일은 당신의 평생에 걸친 과제다.

기도 제목

개인적으로 이 책을 공부하고 있다면 당신과 가족들의 기도 제목을 적으라. 만일 그룹으로 이 책을 공부하고 있다면 기도 시간을 절약하기 위해 5-6명 정도의 소기도 모임으로 나누라. 이번 주 동안 집에서 잊지 않고 기도할 수 있도록 다음에 기도 제목을 기록하라.

Wisdom for Fathers

하나님과 남성의 관계 II

순종하는 법 배우기

'순종'이란 말을 들으면 어떤 생각이 드는가?

이 책을 읽는 독자들은 권위에 순종하는 문제에 있어

누구라도 긍정적이든 부정적이든 어느 정도 경험을 가지고 있다.

나는 당신에게 도전을 주고 싶다.

전심으로 이 공부를 시작하여 순종에 대한 하나님의 정의를

하나님이 직접 당신에게 가르쳐주실 것을 의뢰하라.

식사 시간을 즐겁고 유익하게

가정 생활에서 가장 중요한 시간 가운데 하나는 저녁 식사 시간이다. 그 시간은 몸에 영양을 공급하는 시간일 뿐만 아니라, 가정의 연합을 이루고 서로의 생각을 나누는 시간이라는 사실을 깨닫는 것이 중요하다.

가족 식사 시간

당신은 저녁 식사를 할 때 텔레비전 앞 마룻바닥에 앉아서 하거나, 혹은 가족이 한 번도 같이 앉아 식사를 해본 적이 없는 가정에서 자랐을지도 모른다. 그러나 지금 당신의 가족들을 위해 저녁 시간을 한번 재고해볼 것을 권한다. 다음과 같이 해보라.

식탁에서 식사를 하라. 텔레비전을 끄라. 식사 중에는 전화를 받지 마라. 접시, 냅킨, 은 그릇, 은수저로 식탁을 준비하라. 저녁 식사 시간을 이용하여 서로 대화하고 자녀들에게 기도하는 법을 가르치라. 우리 가족의 경우는 서로 손을 잡고 대부분 내가 식사 기도를 한다. 아내나 자녀에게 맡기는 경우도 있지만 보통은 내가 기도를 인도한다. 이 짧고 손쉬운 기도 시간은 가족을 매일 적어도 한 차례 예배 분위기로 인도하는 멋진 방법이 된다.

저녁 식사 시간을 훌륭한 가족 모임 시간으로 만드는 데 있어 가장 큰 어려움은 무엇인가? 이 문제 해결을 위해 다른 아버지들과 공유할 좋은 정보가 있다면 무엇인가? 음식과 관련하여 당신 부부에게 가장 힘든 일은 무엇인가?

자녀들에게 채소를 먹이라

아들이 패스트푸드점의 햄버거와 감자 튀김 외에는 아무것도 먹지 않으려 할 때 당신은 어떻게 하는가? 아내가 딸에게 채소류를 먹이려 할 때 딸아이가 자기 입을 틀어막는다면 또 어떻게 할 것인가?

아이들에게 새로운 음식을 먹이는 일은 대부분의 부모들이 식면하는 어려움 가운데 하나다. 우리 아이들이 학교에 들어가기 전 강아지 흉내를 내고 있던 딸아이에게 밥을 먹이던 일이 생각난다. 그 아이가 '꼬리를 흔드는 시늉을 하며' 바닥에 엎드려 있는 동안은 먹이려 했던 건강식이 아이에게는 더 맛있게 느껴졌던 것 같다. 그 방법을 권장하지는 않지만 당시 우리는 아이들 몸에 좋은 음식을 먹이려 했었고, 그 방법이 우리가 생각할 수 있는 최선이었다.

내가 꼭 해주고 싶은 말은 아이들에게 건강식을 제공하는 일을 절대 포기하지 말고 조금이라도 아이들에게 먹이도록 노력하되 식탁을 마치 전쟁터로 만들지는 말라는 것이다.

그런데 아버지 당신이 문제라면 어떻게 해야 할까? 당신이 고기와 감자만을 좋아하고 빨강, 노랑, 녹색의 채소류를 꺼리는 사람이라면 도대체 어떻게 해야 할까? 당신이 강아지처럼 엎드리고 아내가 당신에게 먹여보면 어떨까? 너무 심각하게 받아들이지 말고 새로운 음식을 직접 몇 가지 맛보라. 오래 살아서 손자 손녀들을 보러 다녀야 하지 않겠는가? 모든 곡물류와 채소들은 심장에 좋은 음식들이다. 그러니 조금씩 먹어보라. 식료품 가게의 농산물 코너에서 신선한 제품을 한 입 맛보는 것을 아이들에게 보여주라. 그것이 당신이 건강에 좋은 음식을 먹게 되는 시발점이 될 수도 있을 것이다.

첫째 날 4 그는 여호와이시니

• • • • • • • •
기도로 **시작**하기

　　주님, 당신은 하나님이시며 저는 아닙니다.
　　저의 삶을 온전히 주장해주옵소서.
　　온 마음을 다해 당신께 순종합니다.
　　예수님의 이름으로 기도드립니다. 아멘.

순종

　　신뢰와 순종은 하나님과의 관계에 있어서 우열을 가릴 수 없이 중요한 요소다. 신뢰는 하나님 안에 거하며 그분이 주관하시도록 하는 것이다. 한편 순종은 그분이 명령하시는 것을 행하는 것이다.

　　사무엘상 15장 1-3절을 읽으라. 3절에서 하나님이 사울에게 명하신 것은 무엇인가? 사울은 아말렉의 젖먹이들을 어떻게 해야 했는가?

　　이 명령은 너무 잔인하고 순종하기에 불가능해 보인다. 사랑의 하나님이 왜 이런 명령을 하신 것인가? 하나님은 아말렉을 거룩한 심판에 붙이셨다. 그

동안 아말렉은 자신들의 죄로 심판의 잔을 채워왔다. 하나님이 내리신 벌이 가혹했지만 그것은 공정한 심판이었다. 아말렉의 젖먹이들이 자라면 어떻게 되겠는가? 그들이 자라서 그들의 부모들처럼 악을 행하고 하나님께로 돌아오지 않을 것이라는 사실을 하나님은 알고 계셨다. 하나님은 사울을 명하여 그분의 판결을 이행하게 하셨다. 사울이 하나님의 명령에 어떻게 반응했는지 살펴보자.

사무엘상 15장 4-9절을 읽으라. 사울은 어떻게 했는가?

사울은 하나님의 명령에 불순종하여 아말렉 왕을 살려주고 양과 소의 가장 좋은 것, 기름진 것과 어린 양 그리고 모든 좋은 것을 남겨두었다. 한편 백성들과 '별 가치 없는' 것들은 모두 진멸하였다. 이것을 우리는 '부분적인 순종'이라 부른다. 우리 집에서는 이런 경우를 두고 이렇게 말한다. '반만 순종하는 것은 순종이 아니다.'

하나님께 반만 순종하라는 유혹을 받아본 적이 있는가? 재정적인 영역에서 혹은 직장에서, 아니면 하나님과 단 둘이 만나는 시간 면에서 말이다. 그리고 그런 모습이 아내 또는 아이들과의 관계에서도 있는가? 그런 상황을 설명해보라.

사무엘상 15장 10-12절을 읽으라. 사울의 불순종에 대하여 하나님과 사무엘 그리고 사울 자신의 반응은 무엇이었는가?

13절에서 사울이 한 놀라운 말을 읽어보라. 그는 무슨 말을 하였는가?

14절에 나오는 사무엘의 유머스럽고도 냉소적인 대답을 읽어보라.

16-21절을 읽으라. 사울은 자신의 불순종에 대하여 누구를 탓했는가?

사울은 자신의 불순종에 대하여 영적인 이유를 들면서 자신과 백성들의 죄를 모면하려고 했다. 그 이유는 무엇이었는가?

22-23절의 강한 메시지를 읽으라.

"이는 거역하는 것은 _____ 와 같고 완고한 것은 _____ 와 같음이라".

그분은 여호와이시고 우리는 아니기 때문에 우리가 그분께 순종하는 것이 마땅하다. 우리는 의지적인 행위로 우리의 삶을 그분의 온전한 주권에 맡겨야 한다. 오늘 그 첫걸음을 시작하라. 하나님께 이렇게 아뢰라. "당신의 뜻이 나의 사명입니다."

좋은 아버지 Tip

당신의 가족이 재정 문제에 있어 하나님께 의뢰하고 순종하는 일에 어떻게 성숙해질 수 있는지 아내와 토의하라.

둘째 날 사랑으로

기도로 **시작**하기

주님 앞에 자신을 낮추라.
기도 가운데 혹은 시편 18편 2절을 읽으며
당신이 주님을 필요로 한다는 사실을 아뢰라.

순종의 이유

요한복음 14장 14-15절을 읽으라.

계약 관계에서 양쪽 당사자는 서로에게 무엇을 요구할 권리를 교환하게 된다. 상대방이 무엇을 요구할 때 당신은 계약에 의하여 그것을 이행해야만 한다. 당신이 하나님의 자녀라면 당신은 그분과 언약 관계에 있고, 그분 또한 당신과 언약 관계에 있으시다.

이제 요한복음 14장 14절을 다시 읽으라.

구하는 이는 누구인가? 시행하는 이는 누구인가?

요한복음 14장 15절을 다시 읽으라.

여기서는 구하는 이와 시행하는 이가 각각 누구인가?

15절 말씀에 의하면 당신은 왜 예수님께 순종해야 하는가?

지켜야 할 규칙은 많고 관계의 친밀감은 거의 없는 상황에 처해본 적이 있는가? 이럴 경우 규칙을 이행하지 않는 것에 대한 대가를 치르지 않기 위해 규칙을 따르기는 하지만 별로 좋은 감정은 들지 않을 것이다. 사랑의 관계가 부족한 상황에서 규칙을 지킨다는 것은 노예가 된 듯한 또는 군대에 속한 군인 같은 느낌을 준다. 그러나 사랑이 개입될 때 그것은 모든 것을 변화시킨다.

아내와 결혼하기 전 구혼 시절을 생각해보라. 그녀의 마음에 들기 위해 했던 노력과 희생들을 기억해보라. 아니면 아버지가 되었을 때는 또 어땠는가? 아픈 아이를 두고 잠 못 이루며 깨어 있던 밤들과 십대 자녀가 귀가하기를 기다리던 시간들은 또 이땠는가? 왜 우리는 그런 일들을 하는가? 그것은 오직 사랑 때문이다.

이제 요한복음 14장 21, 23, 24절을 읽으라.
예수님의 계명을 지키는 자들에게 약속된 두 가지는 무엇인기?

하나님의 명령을 준행하는 것이 그분을 알아가는 첩경이다. 하나님은 우리가 그분께 순종할 때 그분 자신을 우리에게 드러내겠다고 말씀하신다. 우리가 기꺼이 순종하리라고 판단하실 때 하나님은 우리가 그분을 더 많이 알아가도록 허락하신다. 우리는 하늘나라의 비밀을 깨달아가기 시작할 것이다. 순종의 또 다른 결과는 하나님이 우리의 마음에 다가오시도록 하는 것이다. 성경은 하나님이 우리와 그분의 '집' 을 지어 우리와 함께 사귀시겠다고 기록하고 있다.

당신이 자녀들에게 무엇을 하라고 할 때 그것은 그들에게 가장 좋은 것이다. 왜냐하면 당신은 그들을 사랑하기 때문이다. 우리의 하늘 아버지도 그분의 사랑으로 인하여 우리에게 가장 좋은 것을 하라고 명령하신다.

좋은 아버지 Tip

자녀들에게 정직하라. 4살, 14살 혹은 24살 된 자녀 앞에서 공공연히 죄를 지을 때 그들은 당신이 한 행동을 알고 있다. 숨기려 들지 말라. 자녀에게 그것을 고백하라. 혹시 자녀와 관계된 일이라면 그 아이의 용서를 구하라. 그 다음에 하나님이 당신을 용서해주시도록 자녀 앞에서 짧은 기도를 하라. 오랜 시간에 걸쳐서 아내와 내가 알게 된 사실은 우리가 행한 다른 어떤 것보다도 이 훈련이 우리 자녀들의 인생에서 가장 의미 있었다는 것이다.

셋째 날 4 아버지들에게 주시는 하나님의 명령

> 아버지, 당신의 이름이
> 현재 저의 모든 것 그리고 제가 하는 모든 것을
> 의미하는 것이 되게 하옵소서.
> 당신의 거룩한 이름으로 기도드립니다. 아멘.

순종에 관한 공부의 첫 이틀 동안은 하나님께 자신을 굴복시켜 그분께 순종하는 문제를 다루었다. 그것은 큰 걸음을 내디딘 것이다. 하늘 아버지 앞에 당신의 삶을 내려놓고 전심으로 그분의 모든 뜻과 명령에 순종할 수 있다면 당신은 당신이 바라는 경건하고 지혜로운 아버지가 되는 길에 제대로 들어선 것이다.

그러나 당신은 궁금할 것이다. "그분의 명령은 도대체 무엇인가?" 바로 이 것이 오늘 우리가 공부할 주제다.

출애굽기 20장 1-17절을 읽으라.

이 구절들은 보통 ＿＿＿＿＿＿＿＿＿＿＿ 이라 불린다.

4 하나님과 남성의 관계 II 99

당신은 이 유명한 구절들을 십계명이라 알고 있을 것이다. 명백히 이것은 하나님이 하신 명령이다. 이 십계명은 10개의 제안 같은 것이 아니다. 이 계명들은 명령이다. 왜냐하면 이것들은 절대 진리인 율법에 기초하고 있기 때문이다. 십계명을 지키는 것은 충만한 삶을 보장하는 것이다. 이것을 어기고 불순종하는 것은 자멸을 초래하는 것이다.

출애굽기 20장 3절을 다시 읽으라.

우리는 진실하시며 살아 계신 단 한 분의 하나님 이외에는 다른 어떤 신도 섬겨서는 안 된다. 이것은 또한 우리가 여호와를 우리의 하나님으로 섬겨야 한다는 것을 암시한다. 우리는 흙이나 부처, 힌두교의 여러 신들, 모하메드, 돈 혹은 우리 자신들을 섬겨서는 안 된다. 여호와 하나님 이외에 다른 어떤 사람이나 가치 있는 물건을 섬기고 싶은 유혹을 받고 있는가? 하나님이 당신 마음에 주시는 모든 생각들을 기록해보라.

출애굽기 20장 4절을 읽으라. 얼핏 생각하면 이 계명이 첫 계명과 동일한 것 같지만 미묘한 차이가 있다.

부모들 가운데는 자녀를 경건하게 키우기보다는 하나의 '신'으로 만들려는 경향을 가진 사람들이 있다. 삶의 초점을 자녀들에게 맞추어서 그들의 모든 필요와 욕망을 채워주고 그들의 모든 명령에 순종하는 인생이 되어서는 안 된다. 주님께 이렇게 여쭈어보라. "주님, 제가 저의 자녀를 혹은 당신을 대체하는 다른 어떤 것을 제 인생의 신으로 삼고 있습니까?"

출애굽기 20장 7절을 읽으라.

히브리어로 '헛된(vain)'의 의미 가운데 하나는 '무익한(useless)'이다.[1] 그래서 이 계명의 개념을 우리 언어로 풀면 "하나님 자신의 강하심과 생명이 당신에게 아무런 영향을 미치지 못하는 것이라면 당신 안에 그것을 품지 말라"는 의미로 표현할 수 있다. 이 계명은 열매 없는 생명을 꾸짖는 것이다. 하나님의 이름은 능력이 있기 때문에 반드시 열매를 맺게 되어 있다. 당신이 그리스도인이라면 당신의 하나님으로 선택한 그분의 이름이 아버지로서 당신 안에 영향력을 미치고 있는가? 지금 하늘 아버지가 당신의 삶 가운데 말씀하고자 하시는 바에 귀를 기울이라.

좋은 아버지 Tip

자녀가 욕설을 할 때 어떻게 하는가? 과민하게 반응하지 말라. 만약 아이가 당신을 약올리려고 나쁜 말을 한 것에 휘말리면 당신은 심한 행동으로 아이를 나무라게 될 것이다. 어떤 행동을 취하기 전에 생각하고 기도할 시간을 잠깐 가지라. 만약 그 아이가 당신이 하는 것을 보고 따라 한 것이라면 회개하라.

넷째 날 | 아버지들에게 주시는 하나님의 더 많은 명령들

오늘은 공부를 시작할 때 무릎을 꿇고 기도해보라.
하늘의 아버지가 말씀하시는 어떤 내용이라도
귀 기울여 듣겠다고 말씀드리라.

출애굽기 20장 8절을 다시 읽은 다음 레위기 23장 3절도 읽으라.

이 두 절에서는 안식일을 거룩히 지키라는 명령이 주어졌다. 이 계명을 더 자세히 설명하기 위하여 레위기에서는 어떤 말들을 더하였는가?

안식일을 지킨다는 것은 쉼과 예배 드림 그리고 성회에서 하나님의 백성들과의 모임을 의미한다. 그러나 '안식일을 거룩히 지킨다' 는 말의 의미를 곧이곧대로 서로에게 율법화하려고 한다면 예수님 시대의 유대인들이 안식일에 대한 예수님의 목적을 왜곡했던 것처럼 우리도 곤경에 처하게 될 것이다. 예수님은 안식일의 원칙을 우리에게 주었다. 마가복음 2장 27절을 보라. 우리가 날짜에 대해 율법적이 된다면 핵심을 놓치게 된다. 이 계명에서 분명한 것은 7일 가운데 하루는 하나님을 영화롭게 하기 위하여 구분되어야 한다는 것이다.

출애굽기 20장 12절을 읽으라.

부모님들이 존경받을 만해서 그들을 존경하는 것은 어렵지 않다. 그러나 당신의 부모가 존경받을 만한 분들이 못 된다면 어떻게 하겠는가? 이 계명에서 어떤 예외 조항이 있는가?

당신의 부모가 존경받을 만한 자격이 없더라도 당신의 마음을 정하고 의지적으로 그들을 존경해야만 할 수도 있다. 하나님께 존귀와 영광이 되도록 당신의 부모를 공경하는 법을 가르쳐달라고 요청하라.

출애굽기 20장 13절을 읽으라.

이 계명을 '자녀 양육 : 좋은 부모가 되는 법' 에 적용해보라. 당신에게 처음으로 떠오른 생각이 낙태 문제는 아닌가? 당신이 이 문제에 대해 아직 분명한 생각을 갖고 있지 못하다면 이 말씀을 반드시 묵상해보라. 낙태는 무구한 생명을 앗아가는 일이다.

출애굽기 20장 13절의 이 짧은 계명에는 자녀 양육에 관한 또 한 가지 중요한 적용점이 있다. 마태복음 5장 21-24절에서 예수님은 이 계명을 더 자세히 풀어주셨다. 풀리지 않은 분노로 사람의 영혼을 파괴하거나 죽일 수가 있다. 이것은 특별히 아버지들에게 적용된다. 이땅의 그 누구도 아버지의 말에 상처받기 쉬운 아이들보다 더 취약한 존재들은 없다. 아버지가 해결되지 않은 분노 때문에 "너는 아무짝에도 쓸모 없어"라거나 "바보 같은 놈"이라는 말을 하게 되면 그는 자녀의 영혼을 파괴시키고 마음에 심각한 상처를 남기는 것이다. 예수님은 이런 행위를 모두 죄라고 명백히 비난하셨다.

당신이 해결되지 않은 어떤 분노를 가지고 있다면 그것을 지금 당장 주님 앞에서 해결하라. 주님 앞에 정직히 나아가 당신의 분노를 인정하라. 그리고 리버티 사바드(Liberty Savard)가 쓴 다음의 기도를 드리라.[1]

주님, 제 마음을 당신의 마음에 매이게 해주소서. 자녀에 대해 제가 가진 모든 분노의 태도에 대한 매듭을 제 자신에게서 풀어버리고자 합니다. 모든 분노의 사고방식, 분노의 사상과 신념, 습관, 행동 그리고 저의 부모님이 제게 했던 행동의 결과로 제가 행하는 모든 분노의 모습들로부터 제 자신을 자유하게 도와주소서. 제가 아이들에게 한 모든 분노의 말과 힘과 영향으로부터 제 자신과 제 아이들을 지켜주옵소서. 예수님의 이름으로 기도드립니다. 아멘.

좋은 아버지 Tip

당신의 인생에서 관계적인 면을 마음속으로 점검해보라. 어느 누구에 대해서 불편한 마음을 가지고 있다면 당신이 할 수 있는 한 그 관계를 회복하기 위해 노력하기 바란다. 전화를 해서 용서를 구하거나, 반대로 은혜와 용서를 베풀어서 다른 모든 이들과 화평하라.

하나님의 엄명

> 주님, 제 마음과 상관없이 당신께 순종하기로 결심합니다.
> 저는 더 이상 제 감정이 저를 지배하지 않기를 원합니다.
> 저는 당신의 것입니다.
> 주님, 주 뜻대로 저를 만들어주옵소서.
> 예수님의 이름으로 기도드립니다. 아멘.

일곱번째 계명을 찾아보기 위해 출애굽기 20장 14절을 다시 읽으라. 그 다음 레위기 20장 10절과 히브리서 13장 4절을 읽으라. 이 계명을 이기는 벌은 무엇이었는가?

결혼 서약의 신성함에 대해서는 회색 지대가 없다. 간음은 엄격히 금지된다. 예수님은 눈으로 하는 것조차 간음이라고 말씀하셨다. 그것은 간음에 대해서 생각할 때 우리가 보통 떠올리는 몸의 일부가 아니다. 예수님이 실제로 하시려 했던 말씀은 무엇이었다고 생각하는가?

아내가 아닌 여성에게 마음이 끌려 고민하고 있다면 그 문제를 단호하게 그리고 지금 당장 해결하라. 당신의 결혼 생활을 위협하는 관계라면 지금 즉시 끝내고 당신 자신과 하나님께 당신의 죄를 인정하라. 탐욕의 생각을 가지는 것만으로는 문제가 안 된다고 생각하지 말라. 간음은 바로 거기에서 출발한다. 생각에서부터 간음은 시작된다. 사람의 몸은 마음에 들어 있는 것을 좇아간다. 당신이 겸손히 간구하면 예수님은 당신의 죄를 용서해주실 것이다. 깨끗케 함과 치유 그리고 용서를 구할 때 그것은 당신의 것이 된다.

당신에게 매우 실제적인 방법을 알려주고자 한다. 당신의 아내가 아닌 여성의 눈을 깊이 바라보지 말라. 물론 이 방법이 율법적으로 흐를 수도 있겠지만, 우리는 여성에게서 눈을 떼야 할 때가 언제인지 또는 너무 친밀해지는 대화를 피해야 할 때가 언제인지를 알 수 있다. 우리 목사님은 이런 것을 '불륜을 예방하는 결혼 생활'이라고 부른다.

여덟 번째 계명은 출애굽기 20장 15절에 나와 있다(레위기 19장 11-13절도 보라). 당신의 소유가 아닌 것을 은밀히 취한 적이 있는가? 회개하고 삭개오가 한 대로 행하라. 그의 손해 배상 계획은 어떤 것이었는가?(누가복음 19장 1-8절에서 답을 찾아보라.)

당신의 아내와 자녀들이 정당하게 누려야 할 시간을 빼앗은 적이 있는가? 당신이 그들에게 주어야 할 시간을 도적질하지는 않았는가? 혹은 그들에게서 당신의 관심을 도적질하지는 않았는가?

아홉 번째 계명은 출애굽기 20장 16절에 나와 있다. 이제 잠언 8장 6-8절을 읽으라. 우리 입에서 나오는 것들에 대한 설명을 열거해보라.

에베소서 4장 15, 25절을 읽으라. 우리는 _____ 안에서 참된 것을 말해야 한다. 성실과 명예는 우리 자녀들에게 전해져야 할 개인적인 미덕으로서 인생의 큰 영역보다는 오히려 사소한 영역에서 더 많이 요구된다.

열 번째 계명은 출애굽기 20장 17절에 나와 있다. 우리의 모든 소유는 하나님의 선물이다. 다른 사람의 소유를 탐내는 것은 하나님이 우리에게 주신 것을 멸시하는 행위다. 탐욕에 대한 좋은 해독제는 당신이 가진 것에 대해 하나님께 감사하고 하나님은 정확히 우리의 필요를 채워주신다는 것을 깨닫는 것이다.

좋은 아버지 Tip

일주일 동안 매일 밤 잠자리에 들기 전에 아내와 자녀들과 개인적인 기도의 시간을 가지라. 짧은 기도만으로도 하나님이 당신에게 주신 선물들에 대하여 충분히 감사할 수 있다. 일주일 후에 얼마나 큰 변화가 있는지를 보라. 하나님과의 관계를 공유하는 것은 가족과 당신의 삶에 축복이 될 것이다.

안식일 학습

구약의 축복들

신명기 28장 1-14절을 읽으라.

약속된 축복들을 표시해보라.

_____ 성읍과 들에서 복을 받음

_____ 자녀의 축복

_____ 물질의 축복

_____ 토지의 소산

_____ 명성

_____ 육축의 새끼

_____ 먹을 것

_____ 땅에서의 축복

어떤 사람이 복을 받게 되어 있는가? 축복의 조건은 무엇이었는가?

구약에서 하나님은 이스라엘 백성들에게 자신과의 관계 및 백성들 상호 간의 관계에서 적용되는 율법을 주셨다. 하나님은 심지어 그들이 몸의 기능적인 법칙에 맞게 살아갈 수 있도록 다이어트에 관한 규례도 주셨다. 그러나 이 율법을 순종하는 것에 따르는 축복은 조건적이었다. 그 축복들은 이스라엘 백성들이 하나님의 율법에 얼마나 잘 순종하느냐에 달려 있었던 것이다. 이 축복들은 가시적이고 물질적인 성격을 지닌다.

신약의 축복들

이제 요한복음 15장 10-14절을 읽으라. 순종에 따르는 세 가지 축복을 살펴보라.

예수님은 순종을 새로운 차원으로 옮기셨다. 예수님이 제자들에게 이르시길 "너희도 내 계명을 지키면 내 사랑 안에 거하리라 … 너희 기쁨을 충만하게 하려 함이니라 … 나의 친구라." 이 축복들은 내면적이며 영속성을 지니고 있다. 물질적인 축복들은 행복을 가져오지만 내면적인 축복들은 기쁨을 가져온다. 예수님이 이땅에 오셨을 때 하나님 나라의 전영역이 외면적인 것에서 내면적인 것으로 옮겨졌다. 예수님은 "하나님의 나라는 너희 안에 있느니라"(눅 17:21)고 하셨다. 우리가 순종할 때 따라오는 축복들은 물리적인 영역에서뿐만 아니라 영적이고 정서적인 영역에서도 찾을 수 있다.

유대인들은 언제나 모세의 율법을 지킴으로써 하나님과 교제해왔다. 이제 예수님은 그들의 사고에 있어서 패러다임을 전환시키고 계신 것이다. 당신이 하나님께 순종하는 이유는 그분의 사랑을 얻기 위함이 아니다. 그분은 당신을 이미 사랑하고 계신다. 때문에 그 사랑에 대한 응답으로 당신이 순종하는 것이다.

하나님의 사랑을 얻기 위하여 신실한 그리스도인 혹은 선한 사람이 되려고 노력하는가? 그분의 사랑이 순종에 대한 보상이라고 생각해본 적은 없는가? 아니면 하나님이 당신에게 기대하신다고 생각하는 것을 잘 지키는 '범생이'로 지내다가 이제 무슨 큰 축복을 주시겠지 하며 어떤 보상을 기대하고 있는가? 좋은 소식이 있으면 내게도 좀 알려달라.

당신이 하나님께 순종하든 그렇지 않든 간에 하나님은 당신을 사랑하고 계시다. 하나님을 향한 당신의 사랑과 그분께 대한 당신의 신뢰를 표현하기 위해서는 그분의 명령을 지켜야 한다. 그것은 당신의 모든 관계와 육체적 건강을 허락하시는 하나님의 놀라운 계획을 따르는 것이어야 한다. 순종에 대한 대가로 당신은 당신이 살기로 의도되어진 삶을 살 수 있게 되며, 또한 당신이 소유할 수 있는 것보다 더 많은 사랑과 기쁨을 지니고 계신 하나님과 교제하게 된다.

요한일서 1장 5-9절을 읽으라.

우리가 빛 가운데로 걸어갈 때 일어나는 두 가지 일은 무엇인가? 하나님은 우리 각자가 순종해야 할 구체적인 영역에 대해 그분의 빛을 비춰주실 것이다. 나는 하나님과의 관계가 깊어질수록 순종에 대해 그분이 구체적으로 내게 일러주시는 것을 더 많이 듣게 된다. 많은 경우 작고 사소한 일들은 그다지 중요하게 보이지 않는다. 그러나 내가 거기에 반응하지 않았을 때 축복이나 사역의 기회를 놓쳐버린 것을 시간이 지나서야 깨닫게 된다.

순종은 구원과 무관하다

이제 순종에 관해 더 공부해나가기 전에 당신에게 몇 가지 질문을 하고 싶다.

당신은 구원받기 위해 하나님께 순종하는가?

_____ 그렇다.

_____ 그렇지 않다.

당신은 하나님의 인정을 받기 위해 그분께 순종하는가?

_____ 그렇다.

_____ 그렇지 않다.

하나님께 순종하면 당신은 더 가치 있는 존재가 되는가?

_____ 그렇다.

_____ 그렇지 않다.

자녀들이 당신에게 순종해야만 자녀의 자격이 있는가?

_____ 그렇다.

_____ 그렇지 않다.

자녀들은 당신의 인정을 받기 위해 당신에게 순종하는가?

_____ 그렇다.

_____ 그렇지 않다.

자녀들이 당신에게 순종해야만 더 가치 있는 존재가 되는가?

_____ 그렇다.

_____ 그렇지 않다.

처음 네 질문에 대한 답은 '그렇지 않다' 이다. 나머지 두 질문에 대한 답도 '그렇지 않다' 이기를 바란다. 우리는 구원이나 인정을 받기 위해 혹은 어떤 자격을 얻으려고 순종하는 것이 아니다. 그렇게 되면 하나님의 은혜가 아닌 우리의 행위에 기초한 율법적 구원관이 되고 만다. 그러나 구약에서는 하나님과의 관계가 그분의 명령에 얼마나 잘 순종하느냐에 달려 있었다.

출애굽기 19장 5절과 예레미야 7장 23절을 보라. 하나님의 백성이 되는 조건은 무엇이었는가?

그러나 이제 우리는 하나님과의 관계에 있어서 새로운 차원에 있다. 하나님과의 관계는 우리의 행위에 기초하지 않는다. 우리의 노력으로 하나님이 우리를 가치 있는 존재로 만드시도록 하는 것은 불가능하다. 우리가 노력하면 어떤 사람들은 다른 사람들보다 더 근접할 수는 있겠지만, 예수님을 떠나서는 그 누구도 하나님이 인정하시고 용납하실 만큼 완전하고 죄 없는 인생을 살 수가 없다.

하나님이 새 언약(신약)을 세우신 이후 하나님과 우리의 관계는 완전히 그리고 전적으로 예수님의 죄 없으심에 기초하고 있다는 사실을 깨달아야 한다. 우리를 구원하실 때 예수님은 그분의 완전한 이름을 우리에게 주시고 우리의 죄악된 이름을 가져가신다. 우리는 지금 우리의 것이 아닌 예수님의 생명과 의를 소유하고 있기 때문에 하나님이 우리를 인정하신 것이다(고린도후서 5장 17, 21절을 보라).

우리가 순종에 대해서 공부할 때 '구약'의 사고 방식에 머물러 있기가 쉽다. 우리가 하나님을 사랑하면 하나님이 우리를 더 사랑해주실 것이라고 생각하기 쉽다. 그것은 사실이 아니다. 진리는 이것이다. 당신이 하나님을 사랑하면 당신은 하나님이 물질 세계와 영의 세계를 지으신 방식에 순응하는 것이 되고, 이것은 결국 하나님을 영화롭게 하며 궁극적으로 당신에게도 유익함을 가져온다. 순종이 당신에게 하나님의 사랑을 '얻어주지'는 못한다. 당신은 이미 그것을 소유하고 있다.

이것을 당신이 알고 있는 자녀와의 관계에 대비해 비교해보라. 자녀들이 당신에게 순종하면 그것은 궁극적으로 그들에게 유익이 되고 당신에게도 영광이 될 것이다. 그러나 그것이 그 아이들을 당신의 자녀로 더욱 인정하도록 도와주는가? 그렇지 않다.

우리 집 아이들이 현재보다 더 우리 집 아이가 될 수 있는 방법은 없다. 그들은 아내와 나의 아이들이기에 지금처럼 앞으로도 글렌(Glenn)가의 아이들로 남아 있을 것이다. 다만 그 아이들이 순종하면 우리는 그들을 위험으로부터 지켜주고, 바른 길로 인도해주며, 그들과 평온한 관계를 유지할 수 있다.

순종이 주는 자유

아내와 아이 셋을 부양하느라 바빴던 젊은 아버지 시절, 나는 우리의 재정 문제를 하나님께 의뢰하는 부분에서 갈등하고 있었다. 하나님께 바치는 '첫 열매'로서 모든 소득의 10분의 1을 드리는 문제는 이미 어린 시절에 배운 것이었다. 그러나 결혼을 하고 아이들을 갖기 시작하자 재정적인 부담이 가중되기 시작했다. 그래서 나는 이 약속을 '날조' 해서 어기기 시작했다. 처음에는 헌금을 조금만 하면서 교회에 갈 때마다 하나님께 '팁'을 드렸다. 나중에는 일종의 십일조를 시작했다. 그러나 우리 가정의 총소득이 아니라 순소득의 10퍼센트를 드리기 시작한 것이다. 성경은 십일조가 총소득에 기초한 것인지 순소득에 기초한 것인지를 분명히 밝히고 있지 않다는 것이 내가 내세운 이론적 근거였다.

하지만 오래지 않아 하나님은 이 '부분적인 순종' 이란 영역에서 나의 죄를 깨우치시며 내가 전혀 순종하고 있지 않다는 것을 보여주셨다. 하나님은 내게 아주 분명히 말씀하시면서 나의 이기심과 믿음 없음을 보여주셨다. 바로 그 순간부터 나는 우리의 총소득 가운데서 적어도 십분의 일을 하나님께 드리기로 다짐했다. 내가 일단 이 결심을 하자 하나님은 놀랍도록 나를 자유케 하셨다. 하나님은 경이로운 방식으로 우리의 재정적인 어려움을 해결해주시는 과정을 시작하셨으며, 그 모든 것이 하나님의 인도하심이라는 것을 내게 보여주셨다. 내가 할 일은 하나님이 내게 맡기시는 자원을 그분의 뜻대로 관리하는 것이다.

본이 되기

싫든 좋든 아이들은 아버지로서 당신을 바라보고 있다. 겉으로는 그런 것 같지 않더라도 실제로 아이들은 당신에게서 무엇인가를 끊임없이 탐색하고 있다.

"사업을 할 때 위선적으로 속이고, 고객에게 거짓말을 하며, 또 약속을 지키지 않는 부모들은 그들의 아들딸들에게 정직과 솔직함 그리고 진실의 본을 보일 수 없다. 한편 양심적이고 정직한 부모들은 자녀들에게 좋은 귀감이 될 수 있다.

십대 자녀들에게 정직하고 명예를 지키는 사람이 되라고 하면서 자신들은 모범을 보이지 않는 부모들은 자녀들에게 그런 훌륭한 자질들을 고취시킬 수 없다. 심지어 자녀들은 그 문제에 직면하는 것조차 거부할 수 있다. 나아가 그들은 부모의 일관성 없는 행동을 따라 할 수도 있다. 그러나 분명한 것은 그들이 결코 그런 행동을 존경하지는 않을 것이란 사실이다. 그들은 정직한 일관성을 존중한다. 때로 잘못되는 경우가 있더라도 말이다."[1]

순종은 결단이다

마태복음 22장 37, 39절에서 예수님은 구약의 전체 율법을 짧은 두 구절로 요약하셨다. 이 말씀은 우리가 지켜야 할 명령이다. "네 마음을 다하고 목숨을 다하고 뜻을 다하여 주 너의 하나님을 사랑하라 … 네 이웃을 네 몸과 같이 사랑하라." 예수님은 율법의 핵심이 사랑이라고 말씀하신다.

이제 당신은 자신에게 이렇게 말할지도 모르겠다. "하지만 난 내 마음을 다해서 하나님을 사랑하고 싶지는 않아. 사랑은 하고 싶지만 내가 정말 사랑하고 있는지 모르겠어. 더욱이 때로는 정말 하나님께 순종하고 싶지가 않아. 어떻게 해야 하나?"

좋은 방법이 있다. 당신의 의지를 훈련함으로써 하나님의 명령에 순종할 수 있다. 빌 길햄(Bill Gillham) 박사의 표현을 빌리자면 당신의 의지는 당신의 '의사 결정자'이다. 당신은 하나님을 사랑하고 그분께 순종할 것인지, 아니면 당신 자신이나 다른 사람들을 사랑할 것인지를 결정할 수 있다. 당신의 감정들, 즉 '촉수'들은 잠시 동안 당신의 의지를 따르지 않을 수 있다. 당신은 순종하고 싶지 않거나, 순종하고 싶은 만큼 좋아하지 않을 수도 있다.

그러나 당신이 마음으로 결심하고, 뜻을 정하여 그 문제에 대한 당신의 감정을 무시하면 감정들은 결국 당신의 의지에 따르게 될 것이다.

이것은 순종에 있어 아주 중요한 문제다. 순종은 감정이 아니라 의지에 종속되어 있다. 당신이 이 개념을 터득하게 될 때 당신의 영적 생활은 날개를 달게 될 것이다. 당신은 더 이상 요동하는 감정의 노예가 되지 않을 것이다. 당신의 의지를 순종에 고정시키고 의심의 감정, 총체적인 반역의 감정들을 무시하면 하나님이 당신이 한 선택을 따라 일하시는 것을 보게 될 것이다.

하나님은 당신의 의지가 굴복되기를 계속 기다리신다. 하나님은 당신이 얼마든지 변할 수 있는 감정을 가진 연약한 인간임을 알고 계신다.

기도 제목

개인적으로 이 책을 공부하고 있다면 당신과 가족들의 기도 제목을 적으라. 만일 그룹으로 이 책을 공부하고 있다면 기도 시간을 절약하기 위해 5-6명 정도의 소기도 모임으로 나누라. 이번 주 동안 집에서 잊지 않고 기도할 수 있도록 다음에 기도 제목을 기록하라.

남편과 아내의 관계 I

남성의 머리 됨

당신이 자녀들에게 해줄 수 있는 최고의 선물은

아내를 사랑하는 것이다라는 말이 있다. 우리는 모두 천국 같은

결혼 생활을 소망하지만 과연 그것을 이룰 수 있을까?

그 방법을 알려면 우리는 결혼에 관한 진리를 알아야 한다.

그렇다면 그것을 어떻게 찾을 수 있을까? 물론 그 비밀은 하나님의 말씀 가운데 있다.

다음 두 주에 걸쳐서 우리는 조용할 날 없는 결혼 생활에서

우리가 어떤 역할을 해야 할지 주의 깊게 살펴볼 것이다.

자녀 훈련

아이에게 무엇을 시켰는데 아이가 말을 듣지 않을 때 당신은 어떻게 하는가? 마구 고함을 치는가? 좌절하는가? 그렇다면 오늘의 주제는 당신을 위한 것이다. 아이들이 어떻게 해야 하는지를 배워야 할 필요가 있는 것들에 대해 아이들을 훈련시키는 방법에 대해 논의할 것이다. 잠시 브레인 스토밍을 하고 다음의 질문들에 답해보라.

1. 다음 3개월 동안 당신 부부가 아이들에게 훈련시킬 일이 한 가지 있다면 그것은 무엇인가?
2. 위의 질문에 대해 여러 아버지들이 가장 많이 언급한 한 가지를 선택한 다음, 자녀들이 순종하도록 훈련시킬 방법 세 가지를 토론해보라.
3. 자녀들의 순종 훈련을 방해하는 요인은 무엇인가?
4. 이번 주 자녀들이 훈련받는 것을 용이하게 하려면 어떻게 해야 할 것인가?
5. 자녀들의 순종을 위한 훈련을 하는 데 당신이 열심을 내게 하는 가장 큰 요인은 무엇인가?

자녀에게 고함이 아닌 훈련으로 대하는 일은 새로운 마음가짐에서 비롯된다. 첫째, 당신은 자신을 교사로 보아야 한다. 자녀들은 학생이 된다. 그들은 책임감에 있어 성숙해 있지 않고, '업무 완수'를 위해 당신과 동일한 '추진력'을 갖고 있지 못하다. 그들은 마냥 놀기를 좋아하는 아이들일뿐이다. 부모로서 당신이 해야 할 일은 그들에게 책임 있는 행동을 가르치고, 놀이와 해야 할 일 사이에 균형을 이루어주는 것이다.

　훈련은 하룻밤 이벤트가 아니다. 그것은 지속적인 과정이다. 한 번에 하나씩 변화시킬 행동을 선택하라. 변화의 과정을 지속하여 완전히 숙달되면 그 다음 과제로 넘어가라. 아이가 점점 더 많은 책임을 지는 법을 익히게 되면 그에 따라 아이를 격려하고 칭찬을 아끼지 말라. 머지 않아 당신은 아이들을 기뻐하게 되고 그들도 당신을 기뻐하게 될 것이다.

십대 청소년이나 젊은 청년을 둔 부모를 위하여

당신의 자녀가 성인이 되도록 훈련시키라

당신의 자녀는 그의 인생에서 성인으로서의 책임을 지는 시기로 빠르게 접근하고 있다. 자녀에게 일거수일투족을 모두 말해주는 것에서, 이제는 자신의 인생에 대한 책임을 지우는 과정으로 변화를 주어야 할 때다.

성인의 생활 영역 가운데 다음 한 해 동안 자녀가 배워야 할 부분을 나열해보라.

1.

2.

3.

자녀가 그 책임을 지게 될 때 일어날 수 있는 문제들은 어떤 것들인가?

그 문제들에 대한 해결책을 몇 가지 든다면 무엇인가?

자녀에게 그 책임들을 지우기에 적절한 때와 방법들을 생각해보라.

첫째 날 5 머리 됨

주 예수님, 우리의 결혼 생활에 대한 당신의 계획을 알고 싶습니다.
이번 주 당신의 말씀을 공부해나갈 때 제 마음이 그 계획을 알게 해주옵소서.
주님, 당신의 말씀과 생명 그리고 능력으로 저를 채워주셔서
제가 배운 것을 지켜나갈 수 있도록 도와주옵소서.
사랑합니다 주님. 예수님의 이름으로 기도드립니다. 아멘.

처음 결혼했을 때 나는 좋은 남편이 되는 법에 대해 아는 것이 아무것도 없었다. 그러니 경건한 남편이 되는 것에 관해서는 더더욱 그러했다. 우스운 것은, 연관공 기사 자격증을 따는 데는 많은 공부와 훈련이 필요한데도 결혼 자격증을 얻는 데 필요한 것은 서로를 원하는 두 남녀와 출생 증명서 혹은 운전면허증만 있으면 된다는 것이다. 웃어 넘기기에 그것은 슬픈 이야기다. 우리들 대부분은 미래의 상황에 대해 아무런 준비가 되어 있지 않은 채 결혼 생활을 시작한다. 대부분의 남성들은 원만한 결혼 생활을 원하지만 그 방법은 잘 모르고 있다. 따라서 결혼에 있어서 남성의 역할에 대해 먼저 이야기해보자.

가정에서 남성의 위치를 가장 잘 설명하는 표현은 '머리 됨' 이다.

고린도전서 11장 3절을 읽으라. '머리 됨' 이란 무엇인가? 나는 한때 머리

됨이란 독재를 의미한다고 생각했었다. 내 가정의 머리가 되기 위해서 나는 더 요란하게 소리 지르고 더 독하게 행동하곤 했다. 나와 같이 대부분의 남성들은 가정의 머리가 된다는 것이 힘 자랑을 하거나 순종을 강요하는 것이라고 착각하기 쉽다. 성경은 우리가 가정의 머리가 되어야 하지만 아내와 아이들에게 주인 노릇을 해서는 안 된다고 말하고 있다. 그러나 불행히도 그것은 우리가 자랐던 가정에서 익히 보아온 것들이다.

그러고 보니 생각나는 이야기가 하나 있다. 한 어린아이가 친구에게 "너희 집에 무슨 짐승 우리가 있니?" 하고 물어보았다. 그 친구는 이렇게 대답했다. "아니, 없어. 하지만 굳이 그게 필요하지는 않아. 우리 아버지는 아무 방에서나 으르렁거리거든." 머리 됨은 분명 독재가 아니다.

복종

주인 됨이 무엇인지를 잘 설명해주는 세 가지 단어가 있다. 그 첫 번째 단어는 놀랍게도 바로 '복종' 이다. 어떤 이들은 "잠시만요, 그건 제 아내가 해야 하는 것 아닌가요?" 하고 반문할지도 모른다. 고린도전서 13장은 여성의 머리는 남성이라고 말한다. 하지만 그 전에 먼저 남성의 머리는 그리스도라고 말하고 있다. 그래서 복종은 먼저 남성에게 요청되는 것이다. 당신이 진정으로 아내와 가족들의 머리가 되고자 한다면 그 전에 당신 인생에서 먼저 복종이 드러나야 한다.

마태복음 8장 5절을 읽으라. 그것은 100명의 로마 군사들을 지휘하는 장교, 즉 로마 백부장에 관한 이야기다. 역사적으로 이 시기에 백부장의 권위의 상징은 로마 황제였다. 로마 황제가 명령을 내릴 때 그는 백부장의 입을 통해 했던 것이다.

하나님은 나로 하여금 이 이야기에 주목하게 하셨다. 과거에 나는 내가 가정의 머리가 된 것이 오직 나로 인한 것이라고 생각했었다. 그런데 아니다. 이제 나는 그리스도로 말미암아 내 가정의 머리가 되었다. 우리는 아내들보다 더 뛰어나거나 더 능력이 있는 것이 아니다. 우리는 다만 명령에 따라야 한다.

창세기 1장 27절을 읽으라. 아내와 나는 모두 하나님의 형상대로 지음을 받았다. 그렇다면 왜 아내가 내게 복종해야 하는가? 아내는 나의 권위 아래 있다. 왜냐하면 하나님이 그녀를 보호하기 위하여 그곳에 두셨기 때문이다. 내가 하나님의 권위에 순종하는 모습을 그녀가 보고 그리고 예수님이 나를 통하여 그녀에게 말씀하시고 방향을 주시는 것을 알게 될 때 아내는 남편인 내게 순종하라는 하나님의 명령을 보다 쉽게 이행할 수 있게 된다. 당신과 나는 주님께 순종함으로써 순종이란 좋은 본을 우리 아내들에게 보일 수 있다. 그 도전을 받을 준비가 되었는가? 당신의 인생에 대한 하나님의 권위에 복종하겠는가?

좋은 아버지 Tip

중요한 결정을 하기 전에 아내의 조언을 구하라. 내가 모르는 영역에서 내 아내가 통찰력과 직관이 있다는 것을 깨닫기까지는 시간이 좀 걸렸다. 당신의 의사 결정 과정에 아내를 동참시키는 것은 당신에게 많은 지혜를 더해주고, 동반자와의 연합을 더 강화시켜준다.

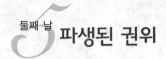

5 파생된 권위

기도로 **시작**하기

> 주님, 오늘 제게 말씀해주옵소서.
> 당신의 음성을 들을 수 있도록
> 제 마음을 준비시키시되 들을 뿐만 아니라
> 또한 순종하게 하옵소서.
> 예수님의 이름으로 기도드립니다. 아멘.

머리 됨을 설명하는 두 번째 단어는 '권위'다. 나는 CEO가 둘인 회사를 본 적이 없다. 궁극적으로 누군가 한 사람이 최고 책임자가 되어야 한다. 그렇지 않으면 혼란스러워질 뿐이다. 그렇지 않은가?

골로새서 3장 18-19절을 읽으라.

가정에서 누군가는 권위자가 되어야 한다. 하나님은 남편이 그 권위자가 되게 하셨다. 그러나 오늘 제목에서 무심코 넘길 수 있는 '파생된(derived)'이란 형용사에 주목하라. 당신이 예수님께 복종하기만 하면 당신은 그분에게서 나오는 파생된 권위를 받게 된다.

우리는 가정의 나아갈 방향을 차분하게 결정하고 가르치며 또 인도해야 한다. 우리의 권위는 우리 가정의 필요에 복종함으로써 얻어지는 것이다. 에베소서 5장 21절에서 말씀하는 것처럼 우리는 서로에게 피차 복종해야 한다. 이것이 바로 가정에서 요구되는 것이다.

이것이 우리의 권위를 약화시키는가? 우리는 가정에서 주먹을 치며 지도자의 자리를 요구하지 않아도 되는가? 아내들과의 관계에 대한 모델로서 예수님과 그분의 신부인 교회의 관계를 한번 살펴보자.

에베소서 5장 23-25절을 읽으라.

예수님은 완선한 권위를 가시고 계셨다. 그러면 왜 그분은 완선한 권위를 갖게 되셨는가? 그것은 예수님이 아버지의 뜻에 완전히 복종하시고 또 그 신부를 위하여 자신을 버리셨기 때문이다. 예수님의 사랑의 리더십에는 자기 중심적이거나 자아를 추구하는 요소가 전혀 없다. 예수님은 온전한 복종을 통해서 온전한 권위를 얻으신 것이다. 내가 아내의 필요를 내 필요보다 앞세울 때, 내가 아내를 위해서 나를 버릴 때, 내가 아내에 대해서 권위를 가지고 그 권위를 사용해서 그녀를 보호하고 변호하며 그녀의 필요를 채워주고 또 기도해줄 때 나는 하나님이 나에게 허락하신 리더의 역할을 감당하게 된다.

베드로전서 3장 7절을 읽으라.

이 구절을 NIV 버전으로 보면 '지식을 따라' 란 말이 나오는데 이것은 헬라어 그노시스(gnosis)를 번역한 말로서 '지식' 또는 '과학' 을 의미한다. 우리는 아내들을 과학적인 방법으로 세밀하게 알아가야 한다. 이를테면 "어떤 경우에 그녀가 반응하는가?" 하는 식으로 말이다.

아내를 기쁘게 하는 것이 무엇인지 혹은 아내가 사랑받고 안정감을 느끼게 하는 것은 무엇인지에 대해서 당신은 잠깐이라도 생각해본 적이 있는가?

아내가 영적으로, 정서적으로, 혹은 육체적으로 당신에게 요구하는 것은 무엇인가? 이번 주에 '지식을 따라' 그녀를 대하기 위하여 당신이 할 수 있는 일은 무엇인가?

우리는 아내들을 존중해야 하며 우리와 완전히 다른 피조물인 여성, 곧 남성이 아닌 여성들을 다루고 있음을 인식해야 한다. 아내를 '남성들 중의 한 명'인 것처럼 취급하지 말고, 여성이라면 자신의 남편이 자기를 어떻게 다루어주기를 바랄까에 대해서 잠시 생각해보라.

7절 후반부에 나와 있는 것처럼 이렇게 하지 않으면 우리의 기도가 응답되지 않을 것이라는 의미를 새기도록 하라. 이것은 정말 무딘 남성도 이해할 수 있는 강력한 표현이다. 하나님은 우리와 아내와의 관계를 심각하게 받아들이신다. 그것은 우리의 기도 생활에도 영향을 미친다.

좋은 아버지 Tip

남성들이여, 우리가 아내를 보호하기 위해 할 수 있는 사소한 일들은 많다. 예를 들면, 아내의 차에 기름이 충분한지, 오일 교환은 했는지 그리고 작동이 잘 되는지를 보고 조치를 취해주라. 밤에 잠자리에 들기 전에 집의 안전을 책임지라. 안전을 위해 아내가 밤에 혼자 외출하는 것을 삼가도록 하라. 이와 같은 '사소한 것들'이 모여 당신이 아내를 얼마나 사랑하는지 그리고 얼마나 그녀를 존중하고 보호하려 하는지를 그녀에게 큰 목소리로 전할 수 있다.

셋째 날 5 네 아내를 사랑하라

• • • • • • •
기도로 **시작**하기

주님, 당신이 바라는 그런 남편이 되기를 원합니다.
오늘 말씀을 읽을 때 당신의 진리에 제 눈을 열어주셔서 경건한 아버지의
역할에 대하여 알게 하옵소서. 제 마음과 정신 속에 당신의 음성을
듣지 못하게 하는 장벽이 있다면 그것이 무엇이든 다 제거해주옵소서.
예수님의 이름으로 기도드립니다. 아멘.

오늘 우리는 세 번째이자 마지막 요소인 희생적인 사랑에 대해서 공부함으로써 머리 됨에 대한 공부를 모두 마치게 된다.

에베소서 5장 25-27절을 읽으라.

이 구절에서 바울이 말하고 있는 것처럼 가정의 진정한 머리가 되기 위해서는 희생적인 사랑이 요구된다. 그런데 남성들이여, 이것은 제안이 아니라 명령이다. 이것은 경건한 가정을 이루는 데 있어 첫 번째로 요구되는 책임이다. 오늘날 우리의 문화는 사랑의 환경이나 분위기는 여성이 만드는 것이라고 주장한다. 그러나 그것은 성경적인 가르침이 아니다.

성경의 어느 곳에도 여성이 그 남편을 사랑하라는 명령이 없다. 대개의 경우 여성은 사랑에 빠질 때 자기 집을 떠나 남편과 결합하기가 훨씬 쉽다. 그러

나 이상하게도 남성은 그의 아내를 사랑하라는 명령을 반드시 받아야만 한다. 남성들은 결혼 단상에서 아내들을 정복한 후에 다음 정복 대상을 향해 계속 나아가는 경향이 있다. 그러나 이 문제에 관한 내 입장은 명백하다. 남편으로서 나는 결혼 생활에서 사랑의 관계를 책임져야 할 입장에 있다. 아내가 내게 복종하도록 하려면 내가 먼저 이 명령에 순종하지 않으면 안 된다.

바로 앞 구절인 23절을 보라. "이는 남편이 아내의 머리 됨이 그리스도께서 교회의 머리 됨과 같음이니 그가 친히 몸의 구주시니라." 예수님은 자신의 희생적인 사랑을 통해서 교회와 특별한 관계를 맺는 권리를 얻으셨다. 이제 내게 주어진 과제는 내 아내를 그 정도의 사랑으로 사랑하는 것이다. 내가 주도하고 아내는 따른다. 가정에 사랑의 분위기가 없다면 그것은 내 잘못이다.

에베소서 5장 28-31절을 읽으라.

나는 이 말씀을 정말 좋아한다. 왜냐하면 우리의 결혼에 대한 하나님의 목표인 '연합'을 언급하고 있기 때문이다. 나는 아내를 내 몸처럼 사랑할 수 있다. 왜냐하면 나는 아내를 내 몸의 일부로 생각하기 때문이다. 이 말씀은 창세기 2장 24절을 근거로 하고 있다. "이러므로 남자가 부모를 떠나 그 아내와 연합하여 둘이 한 몸을 이룰지로다." 결혼 생활 30년이 지나자 이 부분에 대한 이해가 훨씬 쉬워졌다. 그것은 육체적 관계 그 이상의 깊이가 있는 말씀이다.

하나님은 나와 아내의 영과 혼이 하나가 되게 하셨다. 아내는 나의 약한 부분을 채워주고 나는 아내의 약한 부분을 보완해준다. 그러나 가장 중요한 것은 우리가 영으로 하나라는 점이다. 이 점에서 우리는 하늘에 계신 우리 아버지와의 친밀한 관계를 서로 공유하고 있다.

나는 아내를 하나님이 내게 '동역자'로 주신 선물이라 생각한다. 우리가 함께함으로써 각자 따로인 것보다 더 많은 것을 성취하도록 하기 위한 그분의 뜻이다. 하나님은 당신 부부에게 뜻하고 계신 것을 두 사람이 함께 이루도록 짝을 지어주신 것이다.

가정의 머리로서 당신은 배의 선장과 같다. 선장은 모든 것을 책임지는 유일한 사람이다. 외견상 그렇게 보이지 않을 수도 있지만 그는 배에서 일어나는 모든 일을 숙지하고 있다. 선장과 같이 남편은 가정이 나아가야 할 길을 계획하고 옳은 방향으로 가족들을 이끌어나가야 한다. 남성들이여, 이 일의 시작은 먼저 아내들을 사랑하는 것이다. 그러고 나서야 비로서 우리는 결혼 관계를 따뜻하고 서로 베푸는 관계로 그리고 '죽음이 우리를 갈라놓을 때까지' 영원히 지속될 사랑의 관계로 인도할 수 있게 된다.

> ### 좋은 아버지 Tip
>
> 어느 날 출근하기 전에 달콤한 내용의 쪽지 몇 개를 남겨 아내를 놀라게 해주라. 그녀의 훌륭한 요리 솜씨를 칭찬하는 내용의 쪽지 하나를 부엌에 남기라. 당신이 아내의 안전을 위해 기도하고 있다는 내용의 쪽지는 그녀의 차 안에 두라. 아내가 당신에게 얼마나 예쁘게 보이는지 모르겠다는 쪽지는 그녀의 옷장에 넣어두라. 그리고 반드시 하나는 그녀의 란제리 속에 넣어두라. 거기에 무엇을 적을지는 당신에게 맡긴다.

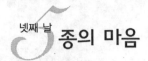

넷째 날 **종의 마음**

　　주님, 제 마음에 역사하셔서
　　제 자신을 당신께 복종할 수 있도록 도와주옵소서.
　　거역하는 제 마음을 변화시키시고 제 안에 종의 영을 새롭게 해주옵소서.
　　제 삶을 당신의 삶에 맞추기 원합니다.
　　주님 가르쳐주옵소서. 예수님의 이름으로 기도드립니다. 아멘.

　　대부분의 젊은 아버지들처럼 멋진 결혼 생활에 대한 내 관점은 주로 나의 필요를 만족시키는 데 고정되어 있었다. 그러나 머리 됨 그리고 희생적인 사랑에 대한 공부를 통해서 하나님은 내게 전혀 다른 시각을 갖게 해주셨다.

　　마가복음 9장 33-35절을 읽으라.

　　이 말씀에서 예수님은 '큰 자'가 되는 것에 대해 놀라운 가르침을 주신다. 그런데 일반적으로 이것은 세상이 말하는 것과 전혀 반대다. 35절에서 예수님은 이렇게 말씀하신다. "아무든지 첫째가 되고자 하면 뭇 사람의 끝이 되며 뭇 사람을 섬기는 자가 되어야 하리라."

빌립보서 2장 5-11절을 읽으라.

인자이신 예수님은 우리를 위해 자신을 비우시고 종의 형체를 취하셨다. 좀 당황스럽기는 하지만 남편으로서 우리의 역할은 종이 되는 것이다. 우리는 예수님이 하신 것처럼 우리의 이기적인 마음을 버리고 종의 모습을 취해야 한다. 이것이 당신의 남성다움을 포기하라는 의미는 아니지만, 가족의 필요를 자신의 필요보다 우선 해야 함을 의미한다.

이번 주 '종의 모습'으로 아내를 위해 해야 할 일이 있다면 무엇인가? 종이 되기 위해서는 이기심을 어떻게 비워야 하는가? 구체적으로 떠오르는 것이 있는가? 당신의 자녀들은 또 어떻게 섬겨야 하는가?

이기적인 동기와 욕망을 비우는 이 과정을 시작하고 또 더욱 종이 되어감으로써 나는 예수 그리스도가 내 안에 사시는 것을 경험하기 시작했다. 내가 주인 노릇을 하고 있던 그 시간 동안 나는 제니퍼 케네디 딘(Jennifer Kennedy Dean)이 그녀의 책 「심령의 절규(Heart's Cry)」에서 표현한 '내 영혼에 지혈대를 대고 있는' 비참한 상황에 놓여 있었던 것이다.

종이 되는 법을 배우는 것은 자기 만족의 껍질들 그리고 자기 방식대로 일하려는 독립심의 껍질들을 벗겨가는 과정으로 시작된다. 또한 그것은 평생이 걸리는 과정이다. 그럼에도 하나님은 내게 내 힘으로 인생을 살아가려는 노력을 내려놓고 그분을 신뢰하며 그분의 임재 가운데 기다리고 쉴 것을 가르치고 계신다.

좋은 아버지 Tip

당신 가족이 지향해야 할 방향과 목표를 이해하기 위해서는 기도로 하나님의 인도하심을 구해야 한다. 다음의 질문들은 당신의 기도와 사고의 지침이 될 수 있다. 이 질문들을 가지고 기도한 후에 아내와 토론해보라.

1. 결혼 생활에 대한 당신의 목표는 무엇인가?

영적인 목표는 무엇인가?

육체적인 관계에 대한 목표는 무엇인가?

여가에 대한 목표는 무엇인가?

2. 자녀들에 대한 당신의 목표는 무엇인가?

영적인 목표는 무엇인가?

교육적인 목표는 무엇인가?

직업적인 목표는 무엇인가?

3. 가정의 재정적 목표는 무엇인가?

저축에 대한 목표는 무엇인가?

부채에 대한 목표는 무엇인가?

기부에 대한 목표는 무엇인가?

노후에 대한 목표는 무엇인가?

이 목표들을 이루는 데 있어 가장 큰 장애물은 무엇인가? 이 목표들을 성취하기 위해 지금 우리는 어떤 노력들을 기울여야 하는가?

5 남편의 언약

· · · · · · · · ·
기도로 **시작**하기

> 주님, 저는 언약을 지키지 않는 문화 속에 살고 있습니다.
> 오늘 당신의 계획과 목적대로 저를 가르쳐주옵소서.
> 예수님의 이름으로 기도드립니다. 아멘.

결혼은 계약이 아니라 언약이다. 계약은 어떤 일을 성취하기 위한 일시적인 합의지만, 언약은 당사자들 사이의 인약 관계를 영원히 지킬 것을 맹세하는 구속력을 가진 양자 합의다. 사무엘상 18장 1-4절을 읽으라. 요나단은 다윗과 어떤 종류의 언약을 맺었는가? 언약을 확증하는 데는 7단계가 있다. 성경에 기록된 모든 언약에 이 7단계가 다 적용된 것은 아니지만, 이 가운데 몇 단계들은 모든 언약마다 포함되어 있다.

• 겉옷의 교환

겉옷을 교환하는 것은 언약 파트너의 신분(identity)을 입는 것을 상징한다. 이를테면 '나는 너를 입고 너는 나를 입는다' 라고 표현할 수 있다. 요나단은 그가 입은 왕족의 겉옷을 다윗에게 줌으로써 다윗에게 충성을 맹세했을 뿐만 아니라 그가 소유한 왕자의 신분도 준 셈이다. 미국의 결혼 제도에서는 아내가 그 남편의 이름과 반지를 취한다. 이제 여성은 그 남성의 신분을 입는 것이다.

• 무기의 교환

무기의 교환은 적으로부터 서로를 지켜주는 언약 파트너를 상징한다. 시편 105편 8-15절을 읽으라. 언약을 지키시는 하나님은 그분의 백성들을 보호하셨다. 남편은 그 아내의 보호자요 지키는 자다.

• 벨트(띠)의 교환

역기를 한 번이라도 진지하게 들어올려본 사람이라면 등에 힘을 더하기 위해서 특별한 벨트를 차는 것의 중요성을 알 것이다. 벨트의 교환은 상대에게 그의 힘을 더해주는 언약 파트너를 상징한다. 빌립보서 4장 13절과 이사야 40장 31절을 읽으라. 이 말씀에 따르면 주님은 당신에게 어떤 언약의 선물을 주시는가? 당신은 아내에게 어떻게 당신의 힘을 더해줄 수 있는가?

• 엄숙한 맹세

언약을 맺는 다음 단계는 엄숙한 맹세로서 두 언약 파트너 사이에 말로 표현되는 공식적이고 엄숙하며 구속력을 가진 맹세를 의미한다. 그것은 영원한 구속력을 가진다. 언약의 맹세를 살펴보기 위해 사무엘상 20장 12-17절을 읽으라. 요나단은 다윗에게 무엇을 하도록 요청했는가? 하나님과 여러 증인들 앞에서 결혼 서약을 할 때 당신은 아내와 신성한 언약을 체결하는 것이다. 이제 신성한 언약을 깨뜨리는 것이 왜 그렇게 심각한 일인지 알겠는가?

• 피 흘림

다섯 번째 단계는 모든 단계 중에서 가장 구속력이 있고 신성한 단계다. 그것은 바로 언약을 확증하는 피 흘림이다. 창세기 15장 9-18절을 읽으라. 아브람은 하나님께 무엇을 가져왔는가? 그 짐승들을 잡았을 때 땅바닥에 무엇이 있었겠는가? 피 흘림은 언약을 맺는 본질적 요건이다. 당신이 아내와 육체적 연합을 이룰 때 두 사람은 성적인 결합을 통해 언약을 완결짓게 된다. 결혼이 절정에 이르고 나면 당신은 아내와 피의 언약 관계를 맺은 것이다.

• 기념 음식

기념 음식은 언약 파트너들의 결합을 기념하는 잔치의 상징이다. 출애굽기 12장 1-14절을 읽으라. 어떤 기념 음식을 먹고 있는가? 음식은 계약을 확증하기 위한 언약식의 일부다. 결혼식에서 서로에게 케이크를 먹여주는 행위를 통해서 부부는 다음과 같이 말하고 있는 것이다. "이것은 내 몸을 의미합니다. 당신이 이것을 먹음으로써 당신은 내가 되고 당신이 내게 먹여줌으로써 나는 당신이 됩니다."

• 기념비를 세움

언약 당사자는 그들 사이에 언약을 영원히 상기시키는 기념물을 세운다. 흔히 언약의 기념으로 정원을 조성하거나 기념 식수를 한다. 때로는 언약의 기념물로 돌 무더기를 세운다. 창세기 31장 44-46절을 읽으라. 이 구절에서 나오는 언약의 두 가지 표적은 무엇인가? 당신과 아내 사이의 결합을 영원히 상기시키는 존재는 당신들이 낳은 자녀들이다. 그 아이들은 두 사람이 하나가 되었다는 사실을 증거하는 기념물이다.

안식일 학습

오 주님, 주의 이름이 온 땅에 어찌 그리 크신지요.
하늘이 주의 영광을 선포합니다.
주님, 오늘 제가 당신의 보좌 앞에 조용히 나아와 당신의 발 앞에 엎드려
주의 음성을 듣고자 할 때 제 마음을 새롭게 하시고 저를 변화시켜주옵소서.
예수님의 이름으로 기도드립니다. 아멘.

언약은 국가 사이, 개인 사이, 친구 사이 혹은 남편과 아내 사이에 맺을 수
있다. 언약을 맺는다는 것이 무엇인지에 대한 기본적인 이해를 통해서 결혼에
대한 새로운 통찰을 얻게 될 것이다. 이번 주에는 이 주제를 좀더 심도 깊게
연구해보자.

겉옷의 교환

말라기 2장 14절과 잠언 2장 16-17절을 읽으라. 언약을 맺는 두 당사자는
누구인가?

겉옷을 입는 행위는 성경 전체를 통틀어 신분을 증명하는 상징이다. 당신

의 하늘의 신랑 되신 예수 그리스도 역시 당신을 옷 입히셨다. 당신이 그리스도인이라면 그분의 구원의 의상을 입고 있는 것이다. 당신은 의의 겉옷을 입고 있다. 요셉처럼 당신은 사랑받는 자녀의 '코트'를 입고 있다. 또한 탕자처럼 당신은 하나님 아버지로부터 죄 사함을 받았고, 그 아버지는 당신의 때묻은 넝마를 가족의 옷으로 갈아 입히시고, 당신이 용서와 구원을 받았음과 또 회복되었음을 선언하셨다.

당신과 당신의 아내는 또한 서로의 신분을 입고 있다. 당신은 그녀의 남편이고 그녀는 당신의 아내다. 이것을 세상이 알게 해야 한다. 당신은 출장 중일 때 결혼 반지를 끼고 지갑에 아내의 사진을 간직하는가? 당신은 다른 사람들에게 자신은 아내의 '포로'이며 그녀만을 위한다고 말하는가?

무기의 교환

우리는 하나님과 언약 관계에 있으므로 그분은 우리를 지키신다. 동일하게 우리는 하나님과 언약 관계에 있으므로 그분의 거룩한 이름을 지켜야 한다. 당신의 배우자와 무기를 교환한다는 의미를 명확히 알겠는가?

당신의 아내가 홀로 있어야만 하는 상황이 있는가? 당신이 어떻게 도울 수 있는가? 당신은 사탄이 아내의 적이라고 생각하는가? 아내의 언약 파트너로서 당신은 그녀를 지키기 위하여 무엇을 할 수 있는가? 남편으로서 내가 가진 특권 가운데 하나는 내 아내를 보호하는 일이다.

우리는 또한 아내의 인격을 보호할 필요가 있다. 나는 자녀들을 포함한 어느 누구도 아내의 인격을 공격하게 두지 않는다. 나는 자녀들이 아내를 무시하거나 말대꾸하는 것을 절대 용납하지 않는다. 어느 누구도 내 주위에서 아내를 부정적으로 이야기할 수 없다.

그러나 언약 관계는 육체적인 보호 및 감정적인 보호에만 그치지 않는다. 우리는 또한 기도로서 아내를 영적으로 보호해야 한다. 기도는 사탄과 세상의 악한 세력에 대항하는 무기다. 당신의 아내는 당신의 기도를 필요로 한다. 우리는 이 책의 후반부에서 이 주제를 좀더 다루게 될 것이다.

벨트(띠)의 교환

베드로전서 3장 7절을 읽으라.

이 절에서 우리의 아내들을 '더 연약한 그릇'으로 언급한 것은 도덕성이나 인격의 힘 혹은 정신적 능력을 말하는 것이 아니다. 그것은 육체적인 힘을 말한다. 남성들은 보통 여성들보다 육체적으로 힘이 세다. 그리고 우리는 아내들을 위해서 강해질 필요가 있다. 우리는 우리 안에 계신 주님의 임재로부터 나오는 강함을 가지고 가정의 힘의 근본, 즉 반석이 되어야 한다. 우리는 그 일을 할 수 없지만 주님은 하실 수 있다.

엄숙한 맹세

창세기 24장 7절을 읽고 언약 파트너로서의 하나님을 살펴보자.

하나님은 아브라함에게 어떤 맹세를 하셨는가?

우리의 언약 파트너가 어떤 분인지 알기 위해서 로마서 10장 9-10절을 읽으라. "저는 진리, 모든 진리 그리고 진리 자체만을 말할 것을 약속합니다. 하나님 저를 도우소서"라는 말은 무엇을 말하는 것인가?

우리는 이 말을 들을 때 어떤 맹세를 느낄 수 있다. 그것은 엄숙한 맹세다. 당신이 예수님을 주님으로 영접하는 고백을 할 때 당신은 하나님과 언약을 맺는 것이며, 하나님은 당신과 언약을 맺는 것이다. 마태복음 10장 32절은 이렇게 말하고 있다. "누구든지 사람 앞에서 나를 시인하면 나도 하늘에 계신 내 아버지 앞에서 저를 시인할 것이요." 또 이사야 40장 8절은 "풀은 마르고 꽃은 시드나 우리 하나님의 말씀은 영영히 서리라"고 말하고 있다.

당신이 그분의 언약 파트너라면 하나님의 온전한 말씀인 성경은 당신에게 하신 하나님의 맹세다. 당신이 하나님을 주로 시인하면 그것은 하나님께 대한 당신의 맹세가 된다. 당신은 이 맹세를 했는가?

우리 부부의 결혼 7주년 때 아내와 나는 평소처럼 저녁에 외식을 했다. 그러나 그 시간은 즐거운 행사가 되지 못했다. 부부 양쪽이 동일한 발언권을 갖는 민주적인 결혼 생활의 시도는 우리의 결혼 생활을 심각한 상황으로 몰아넣었다. 테이블 맞은편에서 아내는 나를 보고 말했다. "당신은 우리 결혼 생활에서 간직하고픈 것이 하나라도 있다고 생각해요?" 그녀는 자리를 박차고 금방이라도 '나가버릴' 기세였다.

나는 아내의 그 말을 듣고 큰 충격을 받았다. 그러나 나는 우리가 혼인 서약을 했고 그것은 영원하다는 것을 알고 있었다. 나는 포기하고 싶지 않았다. 시간이 지난 후에 나는 우리의 문제들에 대해 나도 책임이 있다는 것을 깨달았지만, 그날 밤 내가 생각한 것은 오직 우리의 언약이 파괴되는 것을 막기 위해 도움이 필요하다는 것뿐이었다. 나는 이렇게 말했다. "어떻게 해야 할지 정확히 모르겠소. 하지만 오늘 밤 우리는 단 한 마디를 기도하는 것이 좋을 것

같소. 이렇게 말이오. '도와주세요!' 라고." 그날 밤 우리는 집에 도착하자마자 침대 옆에 앉아 손을 잡고 주님께 오직 한 마디만 아뢰었다. 우리 마음을 주님께 쏟아놓기 시작했을 때 주님은 우리의 결혼 생활을 치유하기 시작하셨다.

당신에게 한 가지 묻고 싶다. 당신은 이혼의 뒷문을 닫아놓았는가? 아니면 결혼 생활의 문제들을 직면하려 하지 않고 탈출할 준비만 하고 있는가? 당신은 하나님과 여러 증인들 앞에서 한 엄숙한 맹세를 성실히 지킬 것인가? 문제의 열쇠는 탈출구, 즉 '뒷문' 을 의지적으로 잠그는 것이다.

피 흘림

다섯 번째 단계는 모든 단계 가운데 가장 구속력이 있고 신성한 것이다. 그것은 언약을 확증하는 피 흘림이다.

창세기 15장 9-18절을 읽으라. 9절과 10절에서 아브람은 하나님께 무엇을 가져왔는가? 그리고 그는 그것들을 어떻게 했는가? 그 짐승들을 잡았을 때 땅 바닥에 무엇이 있었겠는가?

예수님의 못 박히심을 예언한 시가서인 시편 22편 14-18절과 요한복음 19장 34절을 읽으라. 예수님의 십자가 아래 땅 바닥에는 무엇이 있었는가?

피 흘림은 언약을 맺는 본질적인 전제 조건이다. 창세기 15장 10, 17절에서 아브람이 짐승들을 취하여 그 중간을 쪼개고 갈라놓자 하나님은 그 쪼갠 고기 '사이로 지나셨다.' 이와 같이 믿는 자들은 우리의 언약의 형제 되신 예수님의 흘리신 피와 찢어진 살을 통하여 하나님과 관계를 맺게 된다.

히브리서 12장 24절은 예수님이 그분의 피를 통하여 우리에게 새 언약을 주셨다고 기록하고 있다. 이제 이것을 우리의 결혼 언약에 적용해보자.

결혼식에서 당신과 아내는 손을 잡고 제단 앞으로 행진했다. 모든 제단에는 어떤 희생 제물이 있다. 당신의 결혼식 날 혹시 이런 생각을 해보았는가? '우리 결혼 제단의 희생 제물은 무엇일까?' 신랑과 신부. 이것이 질문의 답이다. 신랑과 신부는 독신과 자기 중심주의 그리고 이기심에 대해 죽어야 한다. 이것이 제단으로 오는 목적이다. 당신의 결혼식 날 누군가가 "지금 당신이 하고 있는 일은 이런 의미를 지니고 있다네"라고 자상히 설명해주었더리면 하는 아쉬움이 있는가? 만일 부부 두 사람이 언약, 제단 그리고 희생 제물에 대한 개념을 제대로 이해하고 있나면 그들은 결혼의 많은 문제들을 피할 수 있고, 심지어 새 출발을 하는 결혼식 당일에 이혼하는 불상사를 막을 수 있을 것이다.

신랑과 신부가 케이크를 절단하는 의식은 두 사람이 하니가 되기 위하여 그들 몸의 살을 자르는 것을 상징한다. 또한 그들은 한 컵에 같이 마심으로 한 생명을 나누어 갖는 것을 상징한다. 그러나 신혼 방이 실질적인 언약이 완결되는 장소가 된다.

당신이 아내와 육체적인 연합을 이룰 때 그녀의 다리는 당신의 몸이 언약을 완결짓기 위해 지나는 '통로'가 된다. 아내의 처녀막이 찢어짐과 피 흘림을 통하여 두 사람은 언약을 완결짓게 된다. 과거에 많은 문화권에서 신부의 부모들은 결혼식이 절정에 이르렀을 때 자기 딸의 처녀막이 찢어져 흘린 피 자국을 보여주기 위해 신혼 방에서 나온 침대 시트를 자랑스럽게 걸어놓았었 다. 이런 관습은 중동의 많은 지역에서 아직도 행해지고 있다. 신명기 22장 13-17절을 읽어보라. 여기에 이 관습이 설명되어 있다.

가장 이상적인 것은 결혼식날 밤 남녀 모두 처녀성을 가지고 침대에 이르 는 것이다. 그러나 오늘날 많은 남녀들은 이 부분에서 순수한 상태로 결혼식 을 올리지 않는다. 당신은 어떤가? 만일 당신이 그런 경우라면 모든 것을 다 아시는 하늘 아버지께 당신의 죄를 고백하라. 그분께 당신의 죄를 아뢰고 언 약의 형제 되신 예수님에게서 용서와 죄 씻음 그리고 치유함을 얻으라. 당신 의 현재 모습에서 새 출발을 하라. 그리고 현재의 결혼 언약에 온 마음을 다해 충실하라.

만일 아직 미혼인 상태에서 아내가 아닌 여성과 육체적 관계를 맺고 있다 면 합법적으로 결혼할 때까지 성 관계를 중단하라. 그 관계가 성 관계 없이는 유지될 수 없다면 결혼할 의사를 저해하는 그런 관계를 지속해서는 안 된다.

기념 음식

음식은 언약을 기념하는 표시의 일부다. 예수님 사역의 첫 이벤트는 결혼 잔치에 참여하는 것이었고, 예수님이 행하신 첫 기사도 그 자리에서 일어났다 (요 2:1-11).

우리는 교회에서 예수님의 언약을 기념하는 성찬식 때 어떤 음식을 성도 들과 나누는가?(마 26:26-29) 당신은 결혼식 때 언약을 기념하는 음식으로 어떤 것을 나누었는가? 결혼식에서 부부는 왜 서로에게 케이크를 먹여주는가?

기념 음식은 두 언약 당사자가 하나가 되는 것을 상징하는 또 하나의 예다. 미국에서는 흔히 혼인하는 양가의 가족들이 결혼 전날 밤 함께 모여 기념 음식을 나누는 자리, 즉 리허설 만찬을 갖는다. 정례 의식이 끝나고 만찬식이 이루어지는 동안 기념 '음식'으로 케이크를 모든 손님들에게 나누어준다.

기념비를 세움

7주째와 8주째에 우리 자녀들과의 관계에 대해서 공부하게 될 때 어째서 아이들이 당신과 아내 사이의 언약 관계를 연장시키는 존재가 되는지, 또 그들은 어떻게 해서 두 사람이 한 언약의 핵심을 세상에 증거하는 존재가 되는지에 대해 배우게 될 것이다.

주님, 저는 오늘 우리의 언약을 새롭게 다져봅니다. 저는 제 입술을 제단에 바쳤습니다. 저는 신성한 맹세를 했습니다. 그리고 저는 그것을 지켜나갈 것입니다. 저희의 결혼 생활에 보호의 울타리를 쳐주옵소서. 주님, 저는 또한 우리의 자녀들이 이땅에서 당신의 나라를 확장시켜 나가기를 기도합니다. 제가 결코 다가갈 수 없었던 사람들에게 우리의 자녀들은 주님의 사랑과 진리로 다가갈 수 있기를 기도합니다. 그들을 하나님 나라의 확장 사업에 사용하여주옵소서. 예수님의 이름으로 기도드립니다. 아멘.

기도 제목

개인적으로 이 책을 공부하고 있다면 당신과 가족들의 기도 제목을 적으라. 만일 그룹으로 이 책을 공부하고 있다면 기도 시간을 절약하기 위해 5-6명 정도의 소기도 모임으로 나누라. 이번 주 동안 집에서 잊지 않고 기도할 수 있도록 다음에 기도 제목을 기록하라.

6

남편과 아내의 관계 II

아내 섬기기

"제일인자를 꿈꾸라", "너 자신을 먼저 생각하라"

이런 말들이 난무하는 세상에서 많은 남성들이 그들의

가족을 위하여 희생하는 삶을 산다는 것은 상상하기 힘들다.

그러나 오히려 그것이 당신이 생각하는 것보다

더 재미있는 일일 수 있다.

아내와 낭만적인 시간 갖기

과제 : 앞으로 두 주 동안 부부 두 사람만의 특별한 데이트를 계획하라.

허니문이 끝나고 일상적인 삶으로 돌아가게 되면 결혼 생활에서 사랑의 불꽃을 유지하기란 때로 큰 도전이다. 남성들이여, 솔직히 우리들은 더 이상 아내들에게 계속 구애(求愛)할 필요성을 잊고 있는 것이 사실이다. 사랑의 감정을 계속 돋우어가는 한 가지 방법은 당신의 짝과 즐거운 데이트를 시작하는 것이다. 이번 주 우리들은 아내들과 멋진 시간을 보내는 계획을 세울 때 어떻게 하면 좀더 색다르게 할 수 있는지 그 방법들을 모색해볼 것이다.

1. 당신이 아내를 데리고 가기에 좋은 데이트 장소로 공짜, 혹은 비용이 저렴한 곳을 세 군데 정하라.
2. 아내와 멋지고 화려한 데이트를 하기에 좋은 장소를 한 곳 정하라.
3. 아내와 특별한 데이트를 할 수 있는 세 번의 기회를 정하라.
4. 아내와의 데이트를 계획하는 데 있어 가장 큰 어려움은 무엇인가?

당신의 아내는 어떤지 모르지만 내 아내는 내가 모든 것을 계획하고 또 그녀를 깜짝 놀라게 해주는 데이트를 정말 즐긴다. 정말 로맨틱한 저녁 시간을 위해 주도적으로 나서서 시간과 노력을 들이는 남편은 그것을 고마워하는 아내에게서 많은 축복을 누릴 수 있다. 두 사람이 그것을 지겨워하는 일은 결코 일어나지 않을 것이다.

결혼 생활에서 불타는 열정을 회복시키는 데 도움이 되는 아이디어가 여기 몇 가지 있다.

- 줄기가 긴 빨간 장미를 한 송이 사서 사랑의 쪽지를 붙이라. 그것을 아내가 혼자 있을 때 발견할 수 있는 장소에 두라.
- 테이크 아웃(take out) 음식을 조금 산 다음 편안한 복장을 하고 바닥에 담요를 깔고 오랜 시간 여유롭게 저녁을 먹을 수 있는 장소로 아내를 데려가라. 양초 몇 개, CD 플레이어 그리고 즐겨 듣는 낭만적인 CD 몇 장을 가지고 가라.
- 아내의 핸드폰에 그녀를 칭찬하는 메시지를 남기라.
- 아내의 등과 발을 시원하게 마사지해주는 법을 익히라.
- 아내가 그녀의 취미나 관심사에 대해 이야기하는 것을 들어주라.
- 아내에게 질문을 하고 그녀가 흥미로워하는 단어를 익히라.
- 잘 때와 일어날 때 아내가 선호하는 시간대를 파악할 수만 있다면 아내와 같은 시간에 일어나고 잠드는 연습을 하라.

아내가 없는 아버지들인 경우 : 아이들과 데이트를 하라. 창의적인 에너지를 사용하여 가족들을 위한 소풍을 계획하라. 오늘 토론에서 공유한 아이디어들을 가지고 자녀들과 함께 보낼 재미있는 시간을 만들어보라. 그 출발을 위한 몇 가지 제안이 있다.

- 가족이 함께 자전기 타기를 하라.
- 소파에 모여서 당신이 어린아이였을 때 가족들과 재미있었던 일 중 기억나는 이야기들을 들려주라.
- 지도나 지구본을 가지고 와서 아주 멀리 떨어진 낯선 나라를 찾아보고, 인터넷이나 도서관의 책을 이용해 그 나라에 대해서 공부하라. 그 나라 사람들을 위해서 가족 단위의 기도를 시작하라. 그 나라에서 사역하는 선교사의 이메일 주소를 구해서 가족이 함께 격려의 편지를 쓰는 것을 시작하라.

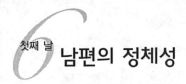

첫째 날 남편의 정체성

아버지, 아내의 남편으로서의 제 역할을 깨달을 수 있도록
제 아내의 마음을 잘 이해하게 도와주옵소서. 주님, 저의 편견을 없애주옵소서.
당신의 생각을 제 마음속에 각인시켜주옵소서.
저의 삶이 당신의 뜻과 말씀에 일치하기를 원합니다.
예수님의 이름으로 기도드립니다. 아멘.

당신이 병원에서 환자 등록 양식에 인적 사항을 기입하고 있다고 가정해
보라. 첫 번째 흔히 받는 질문 중의 하나는 이것이다. '혼인 관계를 선택하시
오 : 기혼, 미혼, 이혼, 사별, 별거'

우리는 과거로 거슬러 올라가서 성경은 결혼에 대해서 어떻게 이야기하고
있는지 공부하게 될 것이다. 우리는 하나님이 결혼에 관한 기초를 세우시는
순서들을 따라가보고, 또 예수님과 그분의 신부된 교회 간의 관계 모형을 하
늘로부터 땅에 심는 일에 각 파트너가 어떤 역할을 해야 할지에 대해서도 살
펴볼 것이다.

창세기 2장 24절을 읽으라. 이 구절에 명시된 결혼의 목표는 무엇인가? 남

녀가 영적으로, 정서적으로 그리고 육체적으로 연합하는 것이 결혼의 목표다. 둘이 한 몸을 이루는 것이다. 아내는 자기 가족들을 떠나서 남편인 당신을 새로운 가장으로 하는 보금자리를 꾸미게 된다. 당신은 새로운 가족 단위를 구성하며 당신이 그 책임자다.

이 절의 첫 마디는 '이러므로' 혹은 '이 때문에' 로 시작한다. 당신은 자신에게 이런 질문을 던져본 적이 있는가? "도대체 어떤 이유 때문에 남자가 그 부모를 떠나 아내와 연합하여 둘이 한몸을 이루어야 하는가?"

창세기 2장 4-5, 7-8, 15, 18절을 읽으라.

하나님은 아담을 위해 놀라운 일을 행하셨다. 하나님은 아담에게 '돕는 배필' 의 약속을 하신 후에 즉시 동물들을 그에게로 데려오셔서 그것을 통해 돕는 배필의 필요성을 느끼게 하셨다. 하나님은 동물들이 인간의 외로움에 대한 해결책이 아니란 것을 알고 계셨다. 그러나 아담은 처음에 그 사실을 몰랐다. 그는 아마도 동물의 나라를 둘러보고 다른 동물들은 모두 서로 짝을 이루고 있는데 자신은 혼자라는 사실을 점차 깨닫기 시작했을 것이다. 창세기 2장 20절의 마지막 부분은 이렇게 기록하고 있다. "아담이 돕는 배필이 없으므로."

인간의 첫 번째 기본적인 욕구는 홀로 있지 않는 것이다. 그래서 결혼의 첫 번째 가장 기본적인 이유는 영과 혼 그리고 육체의 연합에서 오는 일치감과 친밀감이다.

당신은 아내의 좋은 친구로서 그녀가 당신을 필요로 할 때 그 자리에 있는가? 아내가 자신의 속마음을 당신에게 털어놓을 때 당신이 그녀를 비난하고 공격할 것이란 염려를 하지 않고 그렇게 할 수 있는가? 당신은 아내가 당연하게 여기는 일에 대해서 아내의 용서를 받을 부분이 있는가? 결혼으로 당신의 동료이자 친구가 된 아내와의 관계에 있어서 수정할 부분이 있다면 그것을 위해 어떤 조치를 취해야 될지 요점을 적어보라.

좋은 아버지 Tip

작가 그레이 스몰리(Gray Smalley)는 여성의 의사소통 방식에 대해 남성이 잘 이해할 수 있도록 도와주는 방법을 한 가지 제안하고 있다. 남편이 하는 비난조의 말을 아내가 어떻게 받아들이는지를 설명하기 위해 그는 돌과 깃털의 개념을 이용한다. 남편은 아내에게 자기가 깃털을 날렸다고 생각했을지 모른다. 하지만 아내에게 있어서 그 비난은 자기를 때려눕히는 돌로 느껴진다는 것이다. 그것을 보고 나는 내가 했던 작은 '깃털 제안들'이 내 아내에게는 돌로 내려치는 큰 충격과도 같았으리라는 것을 깨닫게 되었다. 그것을 알고 난 후 나는 단어를 선택하는 방법에 큰 변화를 갖게 되었다.

둘째 날 남편의 섬김 – 아내를 제일 우선순위에 두기

아내와 나의 결혼은 성공적인 출발이 못 되었다. 우리는 둘 다 기독교 가정에서 태어났고, 교회 출석은 물론 교회 여러 활동에도 적극적으로 참여했다. 교육 수준이나 배경도 비슷하고 게다가 우리는 정말 서로 사랑하는 사이였다.

그러나 우리는 '민주적인 결혼 생활' 주의자들이었다. 이것은 우리에게 목소리 큰 사람이 이기는 것을 의미한다. 대부분의 사람들은 우리를 보고 우리가 정말 멋진 결혼 생활을 영위하고 있다고 생각했을 것이다. 적어도 난 그렇게 생각했다. 그러나 부정적이고 비판적인 남편인 나와 7년 동안 결혼 생활을 한 아내는 그 환상을 깨어버릴 준비를 하고 있었다. 우리의 7주년 결혼 기념일 저녁 식사 시간에 아내는 이런 말을 내뱉었다. "저 그만 일어설게요." 나는 뭔가 잘못됐다는 것을 알고는 있었지만 그것이 그렇게 심각한 상황인 줄은 미처 몰랐다.

우리는 그날 밤 귀가한 후 둘이 무릎을 꿇고 외마디 기도를 드렸다. "도와 주세요." 우리는 그 전에도 기도는 드렸지만 함께 이렇게 무릎을 꿇고 우리의 결혼 생활을 위해 기도를 드린 적은 처음이었다.

하나님은 에베소서 5장 25절 말씀을 들어 그 기도에 응답하셨다. 이 말씀 은 우리가 맺는 관계의 방식을 완전히 바꾸어놓았다.

에베소서 5장 25-33절을 읽으라.

하나님은 이 말씀을 사용하셔서 내가 아내를 어떻게 사랑해야 하는지를 가르쳐주었다. 희생적인 사랑이란 어떤 대가를 바라지 않고 필요한 것을 주는 것이란 의미를 나는 깨닫기 시작했다. 그것은 사실 얼마나 큰 도전인가! 나는 아내가 도움을 필요로 하는 영역에서 어떻게 하면 그녀를 잘 섬길 수 있을지 를 고민하며 아내의 필요를 열심히 찾고자 노력했다.

아내의 첫 번째 필요는 그녀가 남편의 인생에서 제일 우선순위가 되는 것 이다. 물론 예수님과의 관계는 빼고 말이다. 남성들이여, 단언컨대 여성들은 이 부분에 있어서는 확실한 감각을 가지고 있다. 당신의 아내는 자신이 남편의 인생에서 '최고'로 여겨지는 때와 그렇지 않은 때를 감각적으로 잘 알고 있다.

내가 결코 잊을 수 없는 책 가운데 하나는 「그가 알았더라면(If Only He Knew)」[1] 이란 책이다. 그 책에서 저자는 독자들에게 한 가지 테스트를 한다. 이것을 통 해서 남성들은 '남편의 인생에서 내가 최고 우선순위야'라는 인식을 아내에 게 주어야 할 때를 알게 된다. 나는 그 책을 따라 테스트를 했던 기억을 잊을 수가 없다. 사람들은 5가지 가장 즐기는 취미 목록을 작성해야 한다. 그 당시 나는 미식축구, 야구, 테니스를 포함한 여러 운동을 아주 즐겨 했다. 나는 주중에 많은 밤을 단체 운동 경기를 하는 데 보냈다. 사무실에서 집에 있는 아내에게 전화를 해서는 내가 집에 도착하자마자 바로 저녁을 먹을 수 있게 해달라고 이야기했던 기억이 여러 번 있다. 왜냐하면 운동 팀에서 나를 필요로 했기 때문에 나는 집에서 겨우 몇 분간만 머물 수 있었다. 때문에 나는 내 취미 목록을 쉽게 작성할 수 있었다. 그러나 바로 다음 순간 저자는 이런 질문을 하고서 정직한 답을 요구했다. "이 취미들 중에서 당신 아내와 함께 있는 것보다 더 추구하고 싶은 취미는 무엇인가?" 세상에, 얼마나 죄책감을 느꼈던 순간인지 모르겠다.

당신은 어떤가? 아내와 함께 시간을 보내는 것보다 더 추구하고 싶은 일은 무엇인가? 바로 거기가 당신의 우선순위를 재조정해야 할 출발점이다.

좋은 아버지 Tip

당신이 좋은 아버지가 될 수 있는 최선의 방법 가운데 하나는 좋은 남편이 되는 것이다. 당신의 자녀들이 그들의 배우자와 가졌으면 하는 그런 관계를 자녀들에게 몸소 보여주어야 한다. 흔들리지 않는 경건하고 건전한 결혼 생활은 바로 그런 부모/자녀 관계를 위한 초석이 된다. 아내가 자녀들보다 우선이다.

셋째 날 남편의 섬김 – 채워줌

● ● ● ● ●　● ● ● ● ●
기도로 **시작**하기

주 예수님, 제 아내를 주신 것과 그녀가 제게 주는
아름다운 것들에 대해서 당신께 감사드립니다.
주님, 저는 당신이 주시는 경건한 남편이 되는 은혜를 받고
당신의 생명을 아내에게 나누어주고 싶습니다.
예수님의 이름으로 기도드립니다. 아멘.

룻기 3장 10-13절을 읽으라.

이 구절은 보아스라는 한 남성과 룻이라는 한 여성에 관한 이야기의 일부
다. 룻은 자신을 돌보아줄 남편이 필요했다. 시어머니의 조언으로 룻은 보아
스에게 자신이 필요를 알렸다. 보아스는 친족 가운데 가장 가까운 '기업 무를
자'가 아니었다. 율법에 의하면 가장 가까운 남자 친척이 과부와 결혼하고, 그
가족의 기업을 무름으로써 조상의 기업이 그 지파 내에서 영원히 보존되도록
하였다. 보아스는 이 율법을 알고 있었다. 그러나 13절에서 우리는 그의 강한
맹세를 들을 수 있다. "만일 그가 기업 무를 자의 책임을 네게 이행코자 아니
하면 여호와의 사심으로 맹세하노니 내가 기업 무를 자의 책임을 네게 행하
리라."

우리는 아내를 돌보는 일과 관련하여 보아스에게서 좋은 모범의 한 예를 볼 수 있다. 아내들의 필요는 어떤 사치품이나 재물이 아니다. 그들이 필요로 하는 것은 바로 남편이 자신의 필요를 채워줄 수 있다는 믿음이다. 아내는 자기 남편이 능력이 있고 자신의 필요를 돌보아주기 때문에 생활과 관련해서는 염려할 필요가 없다는 믿음을 갖고 싶어한다. 아내는 남편이 자신에게 그런 부분을 채워주고 있음을 알고 있다. 이것이야말로 한 남성으로서 그리고 남편으로서 내가 누리는 가장 흐뭇한 역할 가운데 하나라고 말할 수 있다. 하나님이 능력을 주시면 남편이 자신을 돌보고 보호해줄 수 있다는 확신을 갖는 아내의 모습을 보는 것은 큰 기쁨이 아닐 수 없다.

아내는 당신이 그녀의 기본적인 필요들을 채워줄 것이라 확신하고 있는가? 그녀는 당신이 자신을 돌봐줄 수 있다고 믿으며 안심하고 있는가?

골로새서 3장 19절을 읽으라.
아내는 당신의 애정을 필요로 한다. 이 절의 후반부를 주목하라. '(네 아내를) 괴롭게 하지 말라.' 바울이 왜 이런 말을 했다고 생각하는가? 역사적으로 이 시기는 여성들이 남성들보다 열등한 존재로 여겨졌다. 21세기 남성들의 각성에도 불구하고 여성들을 비하하는 남성들은 오늘날까지 존재한다. 여성의 인생은 결코 만만치 않다. 특히 어머니로서 상처받을 일들은 너무나 많다. 아내는 당신의 애정과 이해를 원하고 있다. 당신 앞에 몰아닥치는 인생의 폭풍우를 헤쳐나가기 위해서 당신이 그녀의 애정과 이해를 필요로 하듯이 말이다.

아내가 그녀의 마음을 당신과 나누기 원할 때 당신은 다른 곳에 정신을 팔고, 그녀의 말에 귀 기울여주지 못할 만큼 바쁘지는 않은가? 텔레비전의 운동 경기가 아내보다 더 당신의 관심을 끌지는 않는가?

아내들은 또한 남편들로부터 세 번째 섬김을 원하고 있다. 그들은 때때로 용서를 필요로 한다. 당신의 아내도 타락한 인류의 한 명이다. 그녀는 완벽하지 않으며 당신의 모든 필요를 만족시켜줄 수도 없다. 당신은 아내가 인간이란 사실을 고려해야 한다. 그녀가 당신을 실망시키더라도 잔소리하거나 괴롭히지 말고 기꺼이 용서하고 나아가야 한다. 에베소서 4장 32절이 우리의 모토가 되어야 한다. "서로 인자하게 하며 불쌍히 여기며 서로 용서하기를 하나님이 그리스도 안에서 너희를 용서하심과 같이 하라."

오 주님, 오늘 제 아내에게 기름 부으시고 축복하옵소서. 아내를 보호하고 그녀의 필요를 채워줄 수 있는 길과 사랑과 용서로 그녀를 위로하는 법을 가르쳐주옵소서. 주님, 저로 하여금 그녀를 섬기게 하옵소서. 예수님의 이름으로 기도드립니다. 아멘.

좋은 아버지 Tip

아내와 가족을 위해 기도하는 것은 남편이자 아버지로서 당신의 가장 큰 소명 가운데 하나다. 어쩌면 이번 주 성경 묵상을 통해 이 공부가 끝나더라도 계속 기도하도록 격려를 받았는지 모르겠다. 정기적으로 같이 기도할 수 있는 아버지들을 몇 사람 찾아보라.

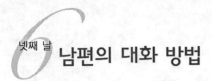

6 남편의 대화 방법

기도로 시작하기

"무릇 더러운 말은 너희 입 밖에도 내지 말고 오직 덕을 세우는 데 소용되는 대로
선한 말을 하여 듣는 자들에게 은혜를 끼치게 하라"(엡 4:29).

주 예수님, 제가 아내의 말에 응대하고 또 그녀를 리드할 때 시의 적절한
대답을 할 수 있도록 도와주옵소서. 저를 통하여 아내와 자녀들에게 말씀하옵소서.
주님, 저의 입술을 지키시사 가증스럽고 거칠며 남을 판단하는 말들을
제 입에서 제하여주옵소서. 제 입을 지혜로 채우시고
인애의 법을 제 입술에 두소서. 예수님의 이름으로 기도드립니다. 아멘.

우리의 결혼 생활의 목표는 우리의 반려자들을 이용하여 우리의 필요를
만족시키는 것이 아니라 오히려 그들을 섬기는 것이다. 사랑에 관한 우리의
정의 − 대가를 기대하지 말고 필요한 것을 주는 것 − 를 기억하라. 그렇다면
대화의 영역에 있어서 채워주어야 할 아내의 필요는 무엇인가?

남편으로서 아직 젊은 나이였을 때 나의 내성적인 성향 때문에 나는 좋은
의사 전달자가 되려고 무척이나 애를 써야 했다. 특히 아내에게는 그러했다.
그러나 주님은 채워주어야 할 아내의 기본적인 필요 가운데 하나는 친밀한 대
화라는 사실을 내게 가르쳐주셨다. 자연스런 대화도 잘 못하는 판에 친밀한

대화라니! 그러나 주님은 그분이 원하시는 대로 우리의 하나 되는 관계를 이루시기 위해서 나의 생각과 감정들을 아내와 함께 나누는 것이 중요하다는 사실을 가르쳐주셨다.

여기서 핵심 단어는 '친밀한'이다. 아내는 집과 아이들과 관련된 업무적인 이야기들을 내게 하고 싶어하지 않는다. 그녀는 내 마음을 자기와 함께 나누기를 원한다. 나에게 중요한 것이 무엇인지, 내가 무엇에 관해 생각하는지 그리고 여러 일들에 대해서 내가 어떤 느낌을 가지고 있는지를 아내는 알고 싶어하는 것이다. 남성으로서 이건 쉬운 일이 아니다. 장담컨대 그렇다. 그러나 내가 더욱 내 마음을 열고, 나의 꿈과 나의 관심사 그리고 심지어 나의 약점이라고 생각하는 부분까지 나누기 시작했을 때 우리의 관계는 더욱 깊어졌고, 내가 상상하지 못했던 방법으로 발전하기 시작했다. 결혼 초기에 내가 들었던 지혜로운 충고 하나를 소개하고 싶다. 그것은 우리의 결혼 생활에서 진실인 것으로 판명되었다. "남자가 마음을 여는 만큼 여자는 몸을 연다." 한번 잘 새겨보라.

잠언 18장 13절과 야고보서 1장 19절을 읽으라.

말하기는 더디 하라. 먼저 생각하라. 말을 성급히 하지 말라. 낭신이 말하는 것을 아내가 이해하고 수용할 수 있는 방식으로 말하라.

에베소서 4장 15, 25, 29절을 읽으라.

과장하지 말라. 항상 진리를 말하되 사랑으로 하라. 당신의 사랑하는 아내를 해하기 위해 당신의 입을 사용치 말라. 아내가 어려움 가운데 있을 때 그녀를 세워주는 말을 하라.

주님, 아내와 품위 있는 대화를 하는 방법을 가르쳐주시고, 제 마음을 그녀와 함께 나누며, 언제나 마음을 열고 정직하고 온유해지는 법을 가르쳐주옵소서. 동시에 강하고도 부드러워지도록 저를 인도하여주옵소서. 예수님의 이름으로 기도드립니다. 아멘.

좋은 아버지 Tip

아내와 더 나은 대화를 하는 세 가지 방법

1. **목소리 음조** : 아내가 여성이라는 사실을 망각하고 아내가 마치 남성들 가운데 한 사람인 것처럼 말하기가 쉽다. 억세고 거친 말이 아니라 온유한 음성으로 말하는 것이 도움이 된다.
2. **얼굴 표정** : 아내는 당신의 몸의 언어, 특히 얼굴 표정을 읽고 있다. 당신은 아내에게 으르렁거리고 있는가? 아니면 미소를 짓고 있는가?
3. **아내의 눈을 주시하라.** 이것이 없다면 친밀한 대화가 어렵다. 얼굴 앞에 신문을 펼쳐놓고 대화한다는 것은 어불성설이다.

6 다섯째 날 남편의 칭찬

● ● ● ● ● ● ● ●
기도로 **시작**하기

"네가 젊어서 취한 아내를 즐거워하라"(잠 5:18 하).

주님, 제 아내를 선물로 주셔서 감사합니다.
오직 저를 위하여 제 인생의 파트너가 되라고 주신 배우자를 저는 즐거워합니다.
이 은혜를 감사드립니다. 예수님의 이름으로 기도드립니다. 아멘.

우리는 여성의 두 가지 기본적인 욕구, 즉 남편의 인생에서 제일 우선순위가 되고 또 친밀한 대화의 필요에 대해서 먼저 살펴보았다. 이제 세 번째 욕구는 당신의 진심어린 칭찬이다. 친밀한 대화와 마찬가지로 이것 역시 내게는 힘들었다. 난 언제나 '컵에 물이 반이나 찼네' 라고 말하지 않고 '컵에 물이 반밖에 없네' 하고 말하는 사람이었다. 한마디로 나의 인생관은 꽤 부정적이었다. 때문에 '부정' 씨가 '긍정' 양과 결혼했으니 문제가 있을 수밖에 없었다. 아내는 아주 긍정적이고 서로에게 사랑을 자연스럽게 표현하는 가정에서 자랐다. 그래서 나의 부정적이고 비판적인 태도는 우리의 결혼 생활을 거의 좌초 위기로 몰아넣고 있었다. 하나님은 이 부분에서 나에게 무엇인가 필요함을 아셨다. 아내는 여느 아내와 다름이 없었다. 모든 아내들은 진심에서 우러나오는 칭찬을 원한다.

나는 제임스 돕슨(James Dobson)이 쓴 책 「아내들의 희망: 남편들이 여성에 대해 알기를 바라는 것(What Wives Wish Their Husbands Knew About Women)」²을 인상 깊게 읽었다. 그 책은 그리스도인 여성들이 겪는 우울증의 원인을 파악하기 위해서 연구하고 조사한 책이다. 그리스도인 여성들의 첫 번째 우울증 요인은 낮은 자존감이었다. 나는 그것을 읽고서 이렇게 생각했었다. "우와, 그리스도인 남성들과 남편들 정말 고소감이구만." 내가 이 책을 읽던 때 아내는 세 명의 유치원생을 둔 주부였다. 주부가 하는 일 가운데 아무런 감사도 없고 때로는 우울하게 만드는 주부의 일을 말해보라. 당신의 자녀들은 어떤지 모르지만, 우리 아이들은 한 번도 이런 말을 해본 적이 없다. "엄마, 잘 하네요! 우리 엄마 짱!" 나는 그날 내 아내를 진정으로 칭찬하는 법을 배우기 시작하면서 많은 양심의 가책을 느꼈다.

잠언 31장 10-31절을 읽으라.

이 말씀 가운데 '그, 여인, 그런 자, 여자' 라고 적힌 부분을 모두 당신 아내의 이름으로 바꾼 다음, 이 성경 구절을 하나님께 기도로 아뢰어 당신의 아내를 주신 주님을 찬양하라.

내가 칭찬 기도를 시작하면서 깨달은 것은 아내를 직접 칭찬하는 것이 훨씬 더 쉽다는 것이다. 아내에게 대한 나의 진실한 칭찬 기도를 통하여 주님은 내 마음을 변화시키셔서 아내가 내게 얼마나 큰 선물인지를 깨닫게 해주셨다. 하나님은 내가 아내로부터 그리고 그녀의 주님을 아는 지식으로부터 얼마나 많은 것을 배울 수 있는지를 보여주시기 시작했다. 나는 아내의 영향을 통해 더 친절하고 인내심을 가진 사람으로 변하기 시작했고, 하나님이 우리 남성들을 내조하고 가르치도록 여성들에게 이런 재능을 주신 이유도 깨닫게 되었다.

당신의 아내를 칭찬하는 최선의 방법은 아내의 면전에서 그녀를 위한 칭찬 기도를 해주는 것이다. 예를 들면, 잠언 31장 29절의 말씀을 인용해서 나는 아내의 면전에서 이렇게 기도하곤 한다. "덕행 있는 여자가 많으나 드니스는 여러 여자보다 뛰어나다 하느니라." 아내와 함께 아내를 위한 칭찬 기도를 하는 것은 진심어린 칭찬을 하는 것일 뿐만 아니라 두 사람 사이에 영적 연합을 이루어준다.

좋은 아버지 Tip

당신의 아이는 반드시 안도감과 안정감을 가져야 한다. 당신이 자녀에게 그런 안정감을 줄 수 있는 가장 중요한 방법 가운데 하나는 건고한 결혼 생활을 유지하는 것이다. 당신은 오늘 이혼의 '뒷문'을 잠글 수 있는가? 당신은 결혼 생활에 온전히 헌신하기로 결심할 수 있는가? 자녀에게 당신들의 결혼 생활이 견고함을 알려 줄 수 있는 방법 가운데 하나는 부모가 서로에게 다정하게 대하는 모습을 아이에게 보여주는 것이다. 말할 것도 없이 아이들 앞에서 야한 장면을 보여주고 싶지는 않겠지만, 가벼운 포옹이나 키스는 모두에게 유익하다.

안식일 학습

대화의 지침

나는 아내가 내 입보다는 귀를 더 필요로 할 때가 많다는 것을 알게 되었다. 때로 아내들은 남편이 조용히 들어주기만 하고 아무런 조언도 해주지 않기를 바란다. 나는 원래 '문제 해결을 위해서' 아내가 필요한 것이 무엇인지를 당장 그녀에게 물어보는 스타일이다. 그러나 마침내 내가 깨달은 것은, 대부분의 경우 아내는 내가 그냥 그녀의 말을 들어주기만을 원한다는 것이다. 내가 그녀의 말을 다 들어준 후에야 비로소 아내는 내 생각에 귀 기울일 준비가 된다.

잠언 15장 23, 28절, 17장 14절, 20장 3절, 21장 23절, 29장 20절을 읽으라.

간혹 당신은 아내와 눈을 마주치고 싶지 않을 때가 있을 것이다. 아내와 소모적인 언쟁에 빠지지 말라. 막다른 골목에 이르게 되면 우리는 다툼을 멈추고 기도하게 된다. 대개 누구 한 사람이 이렇게 말하고픈 마음이 든다. "우리, 서로를 해치는 행동은 하지 말아요. 우린 서로 사랑하는 사람들이잖아요.

이 문제를 잘 해결하도록 함께 노력해요."

잠언 14장 29절, 15장 1절, 25장 15절, 29장 11절을 읽으라.

아내가 당신을 화나게 하더라도 냉정함을 잃어서는 안 된다. 아내와 논쟁을 해결할 때 부드럽고 자제하는 방식으로 반응하라.

야고보서 5장 16절을 읽으라. 당신이 잘못했다면 그것을 인정하고 용서를 구하라. 아내가 당신에게 잘못을 고백하면 그녀를 용서하고 반드시 잊으라. 그리고 다시는 그 일을 꺼내지 말라.

혹시 아내와 함께 논의할 중요한 일이 있는가? 오늘 공부에서 당신이 보다 효과적으로 대화할 수 있도록 도와줄 어떤 내용을 배웠는가?

깊은 잠

창세기 2장 21-22절을 읽으라. 하나님은 아담에게 아내를 주실 때 아담이 깊은 잠에 빠지게 하셨다. 성경에서 누군가가 깊은 잠에 빠진 때가 또 있었는지 기억하는가?

창세기 15장 9-12절, 17-18절을 읽으라.

이 깊은 잠은 어떤 것이었나?

지난 주 언약에 관한 공부를 했으므로 이제는 언약의 징표들에 익숙해져야 한다. 언약의 다섯 번째 단계인 '피 흘림'에서 풀무와 횃불이 쪼갠 살 가운 데로 지난 것을 기억하는가? 풀무와 횃불로 상징되는 하나님이 아브람과 직접 이 언약을 맺으셨다.

이제 창세기 2장 21절로 돌아가보자. 언약 체결의 징표가 보이는가? 성경의 첫 번째 피 흘림은 하나님이 아담의 살을 쪼개어 갈빗대를 취하시는 사건이다. 나는 하나님이 그 갈빗대를 취하실 때 그 뼈가 아담의 살 사이로 지나면서 아담의 몸에서 하와를 만드시려는 언약 체결을 하신 것이라 믿는다. 아담과 하와의 이 언약식은 실제로 이브의 탄생을 의미하는 것이었다.

첫 번째 아담은 그의 신부의 탄생을 위하여 피를 흘렸다. 두 번째 아담인 예수님(고린도전서 15장 45절을 보라)은 그의 신부된 교회의 탄생을 위하여 피흘리셨다. 첫 번째 아담의 옆구리는 그의 신부의 탄생을 위하여 찔림을 받았다. 두 번째 아담의 옆구리는 그분의 신부된 교회의 탄생을 위하여 찔림을 받았다.

당신은 이 사건의 놀라운 영향력을 아는가? 최초의 인간에게는 돕는 배필이 필요했다. 하나님은 그의 옆구리를 찔러 그의 '돕는 배필'이 그의 몸에서 나오게 하셨다. 그들은 원래 한 몸에서 시작했으므로 하나인 셈이다.

그들은 한 몸의 두 부분이다. "그러므로 하나님이 짝지어 주신 것을 사람이 나누지 못할지니라 하시니"(마 19:6).

여성의 창조는 거룩한 목적을 가진 거룩한 사건이었다. 그녀는 언약의 체결로 생겨난 존재다. 그래서 남성이 여성과 온전히 연합할 때 그것은 그들 자신의 기쁨이 되는 동시에 그들의 결혼 생활은 남자에게 하나님 자신과 그분의 신부된 교회에 대한 하나님의 지극하신 사랑을 가르치는 산 교육장이 된다. 여성이 남성의 삶으로 들어올 때 비로서 남성은 아들에 대한 성부의 간절함과 신부된 교회에 대한 성자의 마음 그리고 성전에 거하시려는 성령의 필요를 이해하게 된다.

이 진리는 남성으로서의 역할에 대한 당신의 생각에 어떤 영향을 미치는가? 남편으로서의 역할에는 또 어떤 영향을 미치는가? 이 진리는 당신이 결혼 서약을 실천하는 데 어떤 영향을 미치는가?

하나님은 두 사람을 하나로 짝지어주셨다. 그러므로 두 사람은 한 몸이요, 한 마음이요, 한 영이다. 한 영으로 두 사람은 겸손히 주께 나와서 아뢰야 한다. "주님, 우리 중 누구도 당신을 떠나서는 서로를 섬길 수 없습니다. 당신만이 궁극적으로 안전과 자존감에 대한 우리의 기본적인 욕구들을 당신의 말씀과 당신의 성령을 통하여 채워주실 수 있습니다 그러나 우리는 우리 안에 있는 당신의 생명을 통해서 서로에게 그 생명을 나누어주고 싶습니다. 당신 안에 있는 최고의 소명에 이르도록 서로를 도와줄 수 있는 방법이 무엇인지 지희에게 가르쳐주옵소서."

아가서 8장 6-7절을 읽으라.

최근 들어 솔로몬의 아가서 전체를 읽어본 적이 없다면 부부 두 사람이 함께 읽으며 하나님이 결혼 관계에서 주신 사랑의 선물을 한번 되새겨보라. 마지막 8장은 결혼 관계에서 가질 수 있는 사랑의 최고 표현들을 담고 있다. 다시 이것들을 천천히 읽어보라. 아가서는 사랑을 인간이 경험할 수 있는 가장 강력하고 가장 정열적이며 또 결코 진멸할 수 없는 힘으로 묘사하고 있다. 부부들은 정기적으로 서로를 위해 그 열정의 불꽃을 돋우어야 한다.

남성들이여 당신이 아내에게 줄 수 있는 사랑의 선물은 솔로몬이 표현한 그런 거룩한 사랑이 될 수 있다. 그러나 사탄과 그의 졸개들은 당신이 그것을 모르기를 원한다. 사탄은 당신과 아내의 사랑의 관계를 공격해서 당신을 낙담시키려 한다. 그가 하는 거짓을 절대 믿지 말라. 진리를 믿으라. 강력하고 난공불락의 그 사랑으로 아내를 사랑하라. 그녀의 강력한 전사가 되어 적의 간계로부터 당신의 관계를 지키라. 아내를 위하여 싸우라. 두 사람 모두를 위하여 싸우라. 기도를 통해서 당신의 결혼 생활에 대한 적의 불 화살 공격에 맞서라. "너희 안에 계신 이가 세상에 있는 이보다 크심이라." 요한일서 4장 4절의 이 진리를 주장하고 나아가라. 아내들은 우리를 필요로 한다. 우리의 가정은 우리를 필요로 한다.

오 주님, 제 아내를 어떻게 섬길 수 있는지 가르쳐주옵소서. 영적으로, 정서적으로 그리고 육체적으로 어떻게 아내의 보호자가 될 수 있는지 깨우쳐주옵서. 저의 오만함과 이기심, 자기 탐닉 그리고 교만을 용서하여주옵소서. 주님, 겸손히 주님 앞에 나아옵니다. 제 인생에 대한 당신의 거룩한 계획들을 이룰 수 있는 사람으로 저를 다듬고 조형하여주옵소서. 주님, 기도의 방법을 가르쳐주옵소서. 예수님의 이름으로 기도드립니다. 아멘.

기도 제목

개인적으로 이 책을 공부하고 있다면 당신과 가족들의 기도 제목을 적으라. 만일 그룹으로 이 책을 공부하고 있다면 기도 시간을 절약하기 위해 5-6명 정도의 소기도 모임으로 나누라. 이번 주 동안 집에서 잊지 않고 기도할 수 있도록 다음에 기도 제목을 기록하라.

자녀와 아버지의 관계 I

경건한 후손 낳기

나는 좋은 아버지가 되기를 싫어하는 사람을 만난 적이 없다.

우리 안에는 자녀들에게 가능한 한 최고의 아버지가 되고자 하는 강한 열망이 있다.

그러나 그 방법은 무엇인가? 우리는 어디에서 출발해야 하는가?

우리의 목표는 무엇이 되어야 하는가? 이것이 이번 주 공부할 주제다.

가족의 밤

가정 예배

우리 아이들이 각각 한 살, 세 살, 다섯 살이었을 때 우리는 '가족의 밤'이라는 시간을 가졌다. 우리는 먼저 모두가 좋아하는 가족 음식 – 물론 그날 밤에는 아이들이 싫어하는 간이나 양파 따위는 없다 – 을 함께 나누었다. 그리고는 함께 노는 시간을 가졌다. 재미있는 놀이가 끝난 후 우리는 함께 성경 공부를 했다.

처음에는 성경 이야기를 색칠하는 교재를 구입해서 내가 그 그림에 해당하는 성경 본문을 읽어주면 아이들이 책에다 색칠을 했다. 그리고는 그 말씀에 대해서 내가 간단한 질문을 몇 가지 하곤 했다. 내가 하는 모든 질문에 대한 스테파니의 답은 '엘리사'였다. 그 일을 생각하면 나는 아직도 웃음이 나온다. 우리가 함께하는 시간을 마칠 때 우리는 촛불 주위로 둥글게 모인 다음 다른 등불을 모두 껐다. 우리는 '아버지, 사랑합니다(Father, I Adore You)' 찬양을 돌림노래로 부르고 아이들이 아는 다른 찬양도 몇 곡 더 불렀다. 그리고 마지막에는 언제나 '이 작은 나의 빛'을 불렀다. 각자 짧은 기도를 하고, 하나둘

셋 하면 아이들이 일제히 촛불을 불어 껐다. 그리고는 아이들을 재웠다.

아이들이 색칠놀이를 할 나이가 지났을 때는 내가 성경 구절을 읽은 다음 함께 토론을 했다. 그리고는 기도 시간을 가졌다. 가족의 밤은 온 가족이 기도 제목을 나누고 서로를 위해 기도해주는 시간이 되었다. 딸아이들이 십대가 되자마자 우리는 성경공부 형식을 완전히 바꾸었다. 우리는 아이들이 선택한 레스토랑에서 외식을 하면서 그들의 현재 생각, 감정 그리고 활동들에 대해서 들어주고 집에 와서는 나눔의 시간을 가졌다. 거실의 소파나 의지에 편안히 앉은 채 각자가 자신의 기도 제목을 나눈 다음, 서로를 위해서 그리고 그들의 구체적인 기도 제목을 놓고 기도하는 시간을 가졌다. 아내와 나는 가족 모두가 서로 마음을 열고 정직할 것과 마음속에 있는 것까지도 함께 나눌 것을 강조했다. 나는 우리 아이들이 아버지로서 나란 사람도 그들만큼이나 그들의 기도를 필요로 하는 사람이라는 것을 알기를 원했다.

가정 예배를 드리기 위해 지금 당신이 할 수 있는 일은 무엇인가? 가족의 밤을 갖는 데 가장 문제가 되는 것은 무엇인가?

가족 놀이

가족끼리 재미있게 노는 방법을 찾는 데 비싼 놀이 공원을 가기에는 돈이 좀 부족한가? 텔레비전이나 영화를 보는 것 외에 아이들과 함께할 수 있는 것은 무엇인가? 이번 주에 우리는 당신이 아이들과 함께 재미있게 노는 방법에 대해서 생각해보도록 할 것이다. 당신의 가족이 자연스럽게 재미있게 보냈던 시간들을 몇 가지 열거해보라.

우리 아이들이 아주 어렸을 때 우리는 자전거 타기, 달리기, 술래잡기 같은 놀이를 온 가족이 함께 자주 가졌다. 수영장에 가서 수영 경기도 했다. 공원에 소풍을 가기도 하고, 원반 던지기도 했다. 우리는 아이들에게 도미노 게임도 가르쳐주고, 보드(board) 게임도 함께했다. 때로는 아이스크림을 만들어 저녁을 대신해 먹기도 했다. 물론 아이스크림 저녁 식사는 흔하지 않은 경우였지만, 아이들은 지금도 그 일을 가장 행복했던 추억 가운데 하나로 생각하고 있다. 제스처 게임을 할 때는 그것을 비디오로 찍었을 뿐만 아니라 광고도 함께 만들었다. 물론 광고를 보며 우리는 가장 열광했다. 우리 부부를 위해 '쇼'를 연출하는 소녀들의 멋진 비디오 테이프를 우리는 몇 개 가지고 있다. 그런 놀이는 거의 매주마다 하는 이벤트였다.

아버지인 당신이 자기들을 위해 가족들이 함께 노는 특별한 시간을 떼어놓는 것을 보게 되면 아이들은 자신들이 특별하다는 의식을 갖게 된다. 어린 시절에 아이들과 함께한 그 특별한 시간들은 그들의 성장에 큰 영향을 미친다. 내 말을 명심하라. 그것은 정말 중요한 일이다. 그러나 가족을 위해 특별한 시간을 떼어놓는 일은 지금이라도 결코 늦지 않다. 무엇을 하기로 작정했든 간에 가족끼리 재미있게 보내는 시간을 반드시 가지라.

첫째 날 아버지의 사명 선언

> 주님, 당신의 나라를 위하여 경건한 자녀를 기르는 것이 제 소원입니다.
> 저는 그들이 당신을 알고 그들의 온 마음과 영과 혼을
> 다하여 당신을 따르기를 원합니다. 그들의 삶에 대한 당신의
> 계획 가운데 저의 역할이 무엇인지 가르쳐주옵소서.
> 예수님의 이름으로 기도드립니다. 아멘.

아버지의 사명 선언

어린이들은 분명히 '미완성품'이란 라벨의 대명사다. 다행히도 그 완성품을 조립하는 설명서가 있다. 하나님의 말씀은 우리가 자녀들에게 경건한 아버지가 되는데 필요한 원칙들을 제시하고 있다.

앞으로 두 주 동안 자녀와의 관계에 초점을 맞출 것이다. 이 시점에서 물어야 할 첫 번째 질문은 바로 이것이다. "나는 20년 동안 아이를 어떤 사람으로 키우고 싶은가? 나의 자녀 양육의 목적은 무엇인가?"

말라기 2장 15절을 읽으라.

"여호와는 영이 유여하실지라도 오직 하나를 짓지 아니하셨느냐 어찌하여

하나만 지으셨느냐 이는 경건한 자손을 얻고자 하심이니라."

하나님은 남성과 그 아내의 연합으로부터 무엇을 기대하시는가? 하나님은 이땅에 그분의 의를 확산시킬 자녀들을 생산하는 비전을 우리에게 주고자 하신다. 아버지로서 나의 책임은 주 예수 그리스도에 관한 진리를 내 자녀들에게 성실히 전해서 그들이 자신들의 삶에 대한 하나님의 목적을 이루도록 하는 것이다. 이것이 아버지로서 나의 사명 선언이다.

우리가 자녀를 가진 이유를 마음속에 분명히 할 필요가 있다. 당신의 이름을 남기고 싶은 이기적인 욕망을 충족시키기 위해서였는가? 와해되어가는 결혼 생활을 땜질하기 위함이었는가? '아버지 혹은 아빠' 라는 타이틀을 가지면 뭔가 그럴 듯한 사람으로 보일 수 있기 때문인가?

하나님은 아내와 내가 주 예수님의 생명으로 가득 차기를 바라시며 하나님 자신에 관한 하늘의 진리를 전할 가정들을 찾고 계신다. 아내와 나는 단지 두 사람에 불과하기 때문에 그리스도를 위하여 세상에 영향을 미칠 수 있는 범위가 적다. 그러나 우리의 자녀들, 그들의 배우자들 그리고 우리의 손자 손녀들이 함께한다면 더 많은 사람들이 하나님의 나라를 전하게 되는 것이다. 이것이 바로 가정에 대한 하나님의 계획이다.

신명기 6장 1, 2절을 읽으라. 하나님의 이 명령이 한 세대에 국한된 것이 아니라 더 많은 세대에 해당되는 것임을 가리키는 부분에 밑줄을 그으라.

신명기 6장 4-9절을 읽으라. 모세는 이스라엘 민족에게 중요한 명령을 주었다. 그 명령은 각 사람에게 준 것일 뿐만 아니라 각 사람이 다음 두 세대에 전해야 할 명령이기도 하다. 하나님은 이스라엘 민족에게 다음 세대를 생각하도록 끊임없이 훈련시키고 계셨다. 나는 아직도 그것이 오늘날 우리를 향한 하나님의 명령이라고 믿는다.

하나님이 당신에게 하기를 원하시는 첫 번째 일은 무엇인가?(5절)
당신은 5절 말씀을 어느 정도까지 실행해야 하는가?

　　　　　　주 예수님, 우리 아이들이 당신의 목적과 당신만을 위하여 하늘나라 사업에 부름받기를 기도합니다. 아이들을 가르치고 훈련시키는 방법을 가르쳐주시고, 아이들의 인생에 대한 당신의 소명을 완수할 수 있도록 그들을 준비시켜주옵소서. 예수님의 이름으로 기도드립니다. 아멘.

좋은 아버지 Tip

부모의 가장 고귀한 특권은 자녀들을 예수 그리스도께로 인도하고 그들에게 예수님을 구주로 영접하는 기회를 주는 것이다. 이번 주에는 자녀를 위해 기도하고, 당신의 믿음을 자녀들과 함께 나눌 기회를 찾아보라.

7 _{둘째 날} 아버지의 헌신

둘째 날

기도로 **시작**하기

> 주 예수님, 저의 마음을 새롭게 하시고
> 고치셔서 저를 변화시켜주옵소서.
> 그래서 제가 하는 말이 제 주위의 사람들에게
> 생명의 말이 되게 하옵소서.
> 예수님의 거룩한 이름으로 기도드립니다. 아멘.

좋은 소식과 나쁜 소식

"내가 어떻게 우리 아이를 경건한 아이로 키울 수 있을까? 그렇게 하고 싶지만 어디에서 시작해야 하는가?" 아버지여, 나는 그런 당신에게 좋은 소식과 나쁜 소식을 함께 들려주고자 한다. 좋은 소식이란 당신의 자녀 안에 경건함을 심고 키우는 분은 성령님이란 사실이다. 그것이 성령님의 일이다. 당신이 준비된 사람이라면 성령님은 이 일을 위한 인간적인 도구로 당신을 사용하실 것이다.

나쁜 소식이란 당신이 하고 싶은 것을 당신이 원하는 때에 당신이 원하는 방식으로 하며 살고, 그러면서도 여전히 경건한 자녀로 키우고자 하는 목표를 성취한다는 것은 불가능하다. 하나님이 사용하시도록 준비된 그릇이 되기 위해서는 당신 자신을 희생해야만 한다.

요한복음 15장 13절을 읽으라. 가장 큰 사랑의 시금석이 되는 것은 무엇인가?

사랑은 엄청난 대가를 요구한다. 당신의 자녀를 경건한 자녀로 기르기에 부족함이 없을 정도로 사랑한다는 것은 당신 자신의 자기 중심적인 목적, 즉 당신의 생명을 요구할 수도 있다.

산 제사

로마서 12장 1-2절을 읽으라. 당신의 몸을 하나님께 어떻게 드려야 하는가? 우리는 이 세상과 어떤 관계를 가져야 하는가? 우리는 왜 변해야 하는가?

경건한 자녀로 키운다는 것은 희생을 요구한다. 당신의 산 제사는 하나님을 향한 예배 행위나. 이런 식으로 한번 생각해본 적이 있는가? 당신과 당신의 가족은 이 세상을 본받아서는 안 된다. 다른 모든 사람이 하는 대로 해서도 안 된다. 생활 방식에 어떤 변화를 주어야 할 수도 있다. 자녀의 경건함을 개발하는 데 더 많은 시간을 할애하기 위해서는 정말 당신의 스케줄에 넣고 싶은 것을 포기해야 할지도 모른다. 다른 사람들은 당신 가족이 살아가는 방식을 이해하지 못할 수도 있다. 친구들이나 친척들이 당신을 비웃을 수도 있다.

경건한 자녀로 키우기 위해서는 당신이 하나님의 생각대로 사고할 수 있게 하는 프로그램이 다시 짜여져야 할 것이다. 그것은 하나님의 말씀을 읽고 기도하는 것을 통해 가능하다. 사바드(Savard)가 쓴 책 「산산이 부서진 당신의 요새(Shattering Your Strongholds)」[1]를 읽고 아내와 나는 마태복음 16장 19절 말씀을 어떤 식으로 기도해야 할지를 알게 되었다. 이 말씀은 우리의 마음을 변화시키는 과정에서 많은 도움을 주었다.

주님, 저는 제 마음을 예수님의 마음에 맵니다. 제 뜻을 하나님의 뜻에, 제 생각을 예수님의 생각에, 제 자신을 말씀의 진리에 맵니다. 저는 모든 그릇된 태도와 사고 방식, 생각, 신념, 욕망, 습관과 행동, 모든 세대에 걸친 속박 그리고 제가 내뱉었거나 들은 혹은 심지어 제 등 뒤에서 저를 두고 한 모든 나쁜 말들의 힘과 영향에서 제 자신이 자유케 되기를 원합니다.

아이를 먹이고 입히고 가르쳐서 키우는 일은 누구나 할 수 있다. 누구든지 아이를 즐겁게 해줄 수 있다. 그러나 경건한 자녀로 양육하는 일은 특별한 헌신과 높은 수준의 의지를 필요로 한다. 당신은 그 도전을 받아들이겠는가?

좋은 아버지 Tip

아버지들이여, 당신 자녀의 눈을 깊이 응시하는 것을 두려워하지 말라. 이것을 통해 당신의 사랑을 아이들에게 전하게 된다. 자녀들이 나이가 들면 그들이 당신에게 말할 때 당신의 눈을 주시하도록 상기시켜주라. 눈을 마주하면 서로가 집중하고 있다는 뜻이다. 기억하라. 눈은 영혼의 창이다.

7 아버지의 비전

기도로 **시작**하기

주님, 당신의 놀라운 선물,
제 귀한 자녀들을 주신 것에 대해 당신을 찬양합니다.
그 아이들의 아버지가 되도록 당신이 제게 주신 특권이 얼마나 큰지요!
그 아이들만의 특별한 삶에 대해 당신이 계획하신 어떤 것에도
제 마음을 활짝 엽니다. 예수님의 이름으로 기도드립니다. 아멘.

모든 아이에게는 목적이 있다

시편 127편 3-5절을 읽으라.

우리의 자녀들은 장사의 수중에 든 화살에 비유된다. 화살은 장사에게 어떤 역할을 하는가? 당신은 그것을 당신의 자녀들과 어떻게 연관시킬 수 있는가?

나는 아버지로서의 당신의 비전을 넓혀주고 싶다. 하나님은 하나님 나라의 목적을 위하여 당신의 자녀 하나하나를 창조하셨다. 이것이 바로 각각의 자녀를 거룩하고 신성한 사명을 소유한 주님의 독특한 선물로 만들어주는 요체다.

사사기 13장 2-5절, 8-24절을 읽으라. 하나님은 언제 이 아이를 하나님의 나라를 섬기는 일에 부르셨는가?

누가복음 1장 5-7절, 13-17절을 읽으라. 사가랴는 엘리사벳이 수태하지 못하자 어떻게 했는가? 하나님은 엘리사벳의 간청에 응답하셨는가? 당신은 하나님이 엘리사벳이 원했던 시간 내에 응답하셨다고 생각하는가? 하나님은 엘리사벳의 아들 요한을 언제 그분의 나라를 섬기는 일에 부르셨는가?

세례 요한은 그의 아버지가 기도한 응답으로 태어났다. 그는 태에서 나오면서부터 나실인이 되었다. 사가랴와 엘리사벳이 요한에게 자신이 누군지 그리고 그가 태어난 이유를 분명히 가르쳐주었다는 것을 우리는 요한의 삶을 통해서 잘 알 수 있다. 요한은 자신의 운명을 알았고 그것을 이행했다. 우리는 두 아버지의 삶을 살펴보았다. 하나님이 이 부모들에게 아이가 없었던 것에 대한 이유를 가지고 계셨다는 것을 알아차렸는가? 구체적으로, 하나님이 그들에게 아이를 허락하지 않으신 이유는 하나님이 이스라엘의 구원자를 낳을 준비를 하고 계셨기 때문이다. 메시아 예수님이 나실 때가 이르기까지 그들은 여러 세대 동안 한 민족으로 계속 남아 있어야 했다.

하나님의 타이밍은 언제나 완벽하다. 하나님은 아이를 원하는 부모들의 간절한 마음을 구원자를 기다리는 백성들의 간절한 소망과 연결지으셨다. 하나님이 어떤 일을 하시면 그것은 개인에게도 가정에도 그리고 국가에도 합당한 일이다.

나는 당신과 당신의 아내가 하나님 아버지께로 나아가서 자신들을 그분이 쓰시기에 합당한 그릇으로 드리라고 제안하고 싶다. 자녀들을 위한 '비전 선언문'을 달라고 하나님께 요청해보라. 그것이 하나님의 나라를 위한 국가적 목적 의식을 갖고 아이를 키우는 것을 의미한다면 그렇게 하겠다고 하나님께 아뢰라. 그것이 한 아이를 가정에 입양하는 것을 의미한다면 당신의 마음을 주님께 열고 당신의 가정이 그 목적에 맞게 쓰임받도록 하라. 나는 아직도 하나님이 부모들의 태중에서 자녀들을 그분 나라의 목적을 위해 부르시는 일을 하고 계신다고 믿는다.

좋은 아버지 Tip

브리태니(Brittany)가 신생아였을 때 우리는 그 아이를 위해 가정 헌신 예배를 드리기로 마음먹었다. 우리는 가족과 친구들을 거실에 모은 뒤 헌신과 기도의 아주 특별한 시간을 가진 후 그 아이를 주님께 드렸다. 이 의식을 치른다고 해서 아이가 언젠가 반드시 주님을 자신의 구주로 영접한다고 볼 수는 없지만, 하나님과 아이를 향한 우리의 책임을 우리 스스로에게 상기시킨다는 면에서는 아주 좋은 구체적인 방법이었다.

7 넷째 날 아버지의 책임

기도로 **시작**하기

주님, 제 아이들을 잘 훈육할 수 있도록 제게 능력을
더하여주옵소서. 이제 당신께 굴복하며 당신의 종이 되겠습니다.
저를 당신 손 안의 도구로 삼아
그 아이들의 삶 가운데서 사용하여주옵소서.
예수님의 이름으로 기도드립니다. 아멘.

좋은 부모 / 나쁜 부모

사무엘상 1장 2-28절을 읽으라. 3절에 따르면 엘가나는 어떤 사람이었는
가? 한나는 여호와께 무엇을 드렸는가?

사가랴와 엘리사벳처럼 엘가나와 한나 사이에도 자식이 없었다. 엘가나는
경건한 사람으로 그 아내와 가족을 위하여 하나님의 뜻을 구하였다. 그는 아
내 한나가 자식이 없어 고통스러워하는 것을 알았다(8절). 한나는 놀라운 희생
제사의 기도를 드렸다. 그녀는 하나님께 아이를 간구했으며, 그 아이가 세 살
정도 되었을 때 그녀의 맹세대로 아이를 하나님께 돌려드렸다. 한나가 드린
제사는 우리 아이들을 '산 제사'로 드리라는 마음을 일깨우고 있다.

하나님은 이 간절한 부모의 기도와 이스라엘에 예언자를 주시려는 그분 자신의 열망을 결합시키셨다. 하나님께 바쳐진 한 남자 아이의 탄생이 하나님의 경제 논리를 따라 그 두 가지 요구를 모두 만족시키게 되었다. 그러나 엘가나와 한나의 아이와 사무엘을 기른 노 제사장 엘리의 아들들은 뚜렷한 대조를 이루고 있다.

사무엘상 2장 11-12절을 읽으라. 엘리의 아들들과 여호와는 어떤 관계였는가?

여호와를 알지 못하는 아들들을 가진 제사장 엘리를 상상할 수 있겠는가? 사무엘상 2장 22-25절을 읽고 엘리의 아들들이 어떤 자들이었는지 설명해보라. 그들의 행위에 대해서 엘리는 어떻게 대처했는가? 그것이 효과적인 훈육이었다고 생각하는가? 그 아들들은 엘리의 말을 듣지 않았다. 그들은 성전 출입문에서 그릇된 성적 행위를 저질렀다. 이것을 영적으로 육신적으로 그리고 정서적으로 매일 더 강하게 사라는 사무엘과 비교해보라.

사무엘상 2장 26절을 읽으라. 사무엘의 성장에 관하여 어떤 내용이 기록되었는가? 엘리의 아들들과 엘가나의 아들 사이에 왜 이런 차이가 생겼는기? 이렇게 해서 엘리의 아들들은 반역을 저지르고, 엘가나의 아들은 여호와 안에서 자랐는가? 성경은 적어도 그들이 받은 양육의 일면을 우리에게 보여주고 있다.

엘리는 이성적으로 행동하지 못하는 젊은 아들들을 이성적으로 설득하려다가 그의 비효과적인 자녀 양육으로 인해 값비싼 대가를 치렀다. 그가 제사장이라면 제사장 역할을 그의 아들들에게 전수해야 했었다. 그러나 그는 이 일에 실패했다. 아들들이 제사장의 의복을 물려받을 수 있도록 제대로 훈육했어야 했는데, 그는 아들들을 그렇게까지는 사랑하지 않았던 것이다. 이 일을 볼 때 잠언 19장 18절에서 부모들에게 한 엄중한 말씀이 생각난다. "네가 네 아들에게 소망이 있은즉 그를 징계하고 죽일 마음은 두지 말지니라."

그러나 하나님은 사무엘상 2장 35절에서 엘가나의 아들에게는 어떤 말씀을 하셨는가?

당신의 아이를 위하여 사무엘상 2장 35절을 하나님께 기도로 아뢸 수 있는가?

주님, 제 아이를 당신께 바칩니다. 당신을 위하여 당신의 마음, 당신의 뜻대로 행할 한 충실한 제사장을 일으키옵소서. 그 아이가 영원히 당신 앞에서 행하기를 기도합니다. 예수님의 이름으로 기도드립니다. 아멘.

좋은 아버지 Tip

아이의 믿음이 성장할 수 있는 환경을 만들기 위해 아이와 함께 성경 말씀을 암송하라. 이 일을 시작하는 데 도움이 될 좋은 프로그램을 찾으려면 웹 사이트 www.scripturememory.com을 방문해보라.

다섯째 날 아버지가 치러야 할 전쟁

기도로 **시작**하기

하늘에 계신 아버지 앞에서 잠잠하라.
그분이 당신의 자녀에 대해서 말씀하시게 하라.
오늘 기도 시간은 듣는 데만 집중하라.
하나님의 조용하고 나즈막한 음성을 듣기 위해서는 노력이 필요하다.
그러나 훈련하면 당신도 들을 수 있다.

중보자

당신이 사녀에게 줄 수 있는 가장 중요한 축복 가운데 하나는 중보 기도다. 자녀를 위한 아버지의 기도에는 강력한 무엇이 있다. 나는 우리 아이들을 위해 기도하는 것을 좋아한다. 그런데 왜 우리가 기도해야 하는가? 그것은 당신의 아이에게 적이 있기 때문이다.

요한복음 10장 10절 상반절과 요한계시록 12장 1-5절을 읽으라.

우리의 대적 사탄은 당신의 자녀에 대해서 세 가지 공격 계획을 세우고 있다. 바로 도적질하고 죽이고 멸망시키는 것이다. 사탄의 임무는 태초부터 경건한 자손을 삼켜버리는 것이었다. 그는 가인, 바로, 헤롯, 히틀러 등을 통해 역사하여 아브라함의 경건한 씨를 시험하고 멸망시키려 하였다. 아브라함의 영적 자손들, 즉 우리의 경건한 자녀들에게도 그의 목표는 여전히 동일하다. 사탄은 생명을 죽이는 자로서 우리의 자녀들을 노리고 있다. 그는 마약, 술, 불법적인 성관계, 폭력, 대중 매체를 통하여 우리의 경건한 자녀들을 말살하고 멸절시키려 한다.

매일 아침 경건의 시간을 갖기 시작할 때 하나님은 내 안에서 그분에 대한 더 강한 갈증을 일어나게 하시고 내 가족을 위해 기도하는 법을 개발하게 하셨다. 하나님은 욥기 1장을 통해 나를 가르치셨다.

욥기 1장 1-10절을 읽으라. 9-10절에서 사탄이 하나님께 말하는 것을 보라. 사탄은 자신이 욥에게 다가갈 수 없음을 말하고 있다. 왜냐하면 욥의 경건한 태도와 행위로 인해 그의 가족 주위에 사탄이 뚫을 수 없는 보호 울타리가 처져 있었기 때문이다. 그것이 바로 우리 가족을 위해 내가 하기 원하는 것이다.

올바른 태도: 순전함

무엇보다 욥은 올바른 태도를 가지고 있었다. 1절을 보라. 그는 순전했다. 이것은 하나님의 기준에서 그가 도덕적으로 깨끗했음을 의미한다. 그는 완벽하지는 않았지만 정의롭고 공정하며 정직하게 행하기를 원했다. 그리고 악을 떠났다. 그는 하나님을 눈으로 볼 수 있었다.

올바른 행위: 기도

4, 5절에서 욥의 행동을 보라. 욥은 그의 자녀들을 위해 기도의 시간을 가졌다. 아버지들이여, 우리는 우리 가정의 문지기들이다. 당신이 하나님의 말씀으로 하루를 그분과 함께 시작하며, 기도 가운데 당신의 아내와 자녀들의 이름을 부른다면 사탄이 당신의 가정에 근접하기는 어려울 것이다. 나는 당신이 이번 주 안식일 학습에서 보게 될 자녀를 위한 기도문 목록을 통해서 기도하기를 권하다. 자녀들을 위한 성경 말씀을 근거로 기도하는 것은 매우 강력한 힘을 가진다. 왜냐하면 하나님은 그분의 말씀에 기초한 기도에 응답하시길 원하시기 때문이다.

당신의 자녀를 위해 기도했다면 마음을 편히 가지라. 당신이 할 수 있는 것은 이제 다 했다. 지금부터 자녀는 하나님의 소관이다. 그 아이를 창조하신 분의 수중에 당신의 아이를 도로 맡기라.

좋은 아버지 Tip

일관성 있게 기도하라. 기도는 욥의 규칙적인 습관이었음을 주목하라. 무릎을 꿇고 기도하라. 가능하면 소리내어 기도하라. 실제로 나는 그렇게 하고 있다. 주님 앞에서 내 기도를 들으면 더 실감나는 기도가 되는 것 같고, 내 마음도 흩어지지 않는다.

안식일 학습

자녀를 위한 성경의 기도문

1. 어려서부터 그리스도를 구주로 알 수 있다(시 63:1, 딤후 3:15).

2. 죄를 미워하게 된다(시 97:10).

3. 죄를 지으면 벌을 받는다(시 119:71).

4. 그들의 삶의 전영역, 곧 영적, 정서적, 육체적 영역에서 악에 빠지지 않게 된다(요 17:15).

5. 모든 대인 관계에서 책임감 있는 태도를 가지게 된다(단 6:3).

6. 그들의 위에 있는 권위에 순종하게 된다(롬 13:1).

7. 의로운 친구들을 사귀고 악한 친구들의 꾐에 빠지지 않게 된다(잠 1:10-11).

8. 믿지 않는 자와 멍에를 함께 매지 않으며 좋은 배필을 만나기까지 보존된다(고후 6:14-17).

9. 그들과 그들의 결혼 상대자가 결혼할 때까지 순결하게 보존된다(고전 6:18-20).

10. 모든 상황에서 하나님께 완전히 순복하고 마귀에게 강력히 대적하게 된다(약 4:7).

11. 한 마음을 품고 예수 그리스도께 자신을 온전히 내어드린다(롬 12:1-2).

12. 그들이 악한 사람, 악한 장소로 가는 길을 발견하지 못하며, 또 악한 사람들이 그들에게 이르는 길을 찾지 못하도록 담이 그들을 둘러쌀 것이다(호 2:6).

나는 25년 전에 내 아이들을 놓고 이런 기도를 드리기 시작했다. 내 아이들은 명백히 완전한 존재가 아니며 우리도 마찬가지다. 그러나 하나님은 우리를 축복하시고 이 기도 제목들 가운데 너무나 많은 것을 응답해주셨다. 물론 아이들은 죄를 지으면 벌을 받는다는 기도를 싫어했다. 하지만 그 기도는 유효했다. 잘못한 경우에 그들은 벌을 받았다.

우리는 너무나 많은 축복을 받았다. 우리 자녀들은 모두 그들을 사랑하고 주님을 사랑하는 경건한 짝들을 만나 결혼했으며, 그들 각자가 받은 재능을 가지고 주님을 섬기고 있다. 나는 나의 하나님과 그분이 어떻게 우리 기도에 응답해주셨는지를 자랑하고 싶다.

다음 세대

창세기 18장 17-19절을 읽으라. 왜 하나님은 아브라함을 택하셨는가? 하나님은 아브라함과 그분의 자손에 대하여 어떤 국가적인 목적을 가지고 계셨는가?

하나님은 아브라함이 순종의 축복을 그의 자녀들에게 전할 것이라 믿으셨기 때문에 그를 택하셨다. 하나님은 아브라함의 자손들이 크고 강대한 나라를 이루게 할 계획을 가지고 계셨다. 그 나라는 유대 민족이 되었고, 그 가운데 구주 예수 그리스도가 나심으로 다른 모든 나라에게 복을 끼쳤다.

이사야 61장 9절을 읽으라. 그 자손이 어디에서 알려진다고 하였는가? 왜 그들은 인정받는 자손이 될 수 있는가?

하나님의 관점에서 당신의 자녀를 보라. 당신의 자녀는 하나님이 주신 사명을 가지고 있다. 하나님은 당신의 자녀를 사용하여 이땅에서 그분의 영원한 나라를 확장시킬 계획을 가지고 계시다. 부모로서 당신의 역할은 당신의 자녀가 하나님 나라의 사업을 할 수 있도록 그를 잘 준비시키는 것이다. 자녀에게 '그 아이 자신의 역사'를 들려주라. 그가 받은 소명을 완수할 수 있도록 하나님이 그의 인생에서 많은 일들을 어떻게 계획하셨는지 알려주라.

마태복음 28장 19-20절을 읽으라. 예수님이 명령하신 네 가지는 무엇인가?

자녀들이 세상으로 나가서 모든 족속으로 제자를 삼는 모습을 처음 보게 될 때 당신이 기도해야 할 부분은 이것이다. 그들이 가능한 한 빨리 하나님의 소명을 깨닫고 알아서 그들의 힘을 하나님을 온전히 따르고 순종하는 데 집중하도록 하는 것이다.

하나님이 당신에게 자녀를 주신 이유와 그 자녀들의 인생에 대한 하나님의 목표가 무엇인지를 이해하는 것이 중요하다. 이것은 자녀를 키울 때 매일매일 의사 결정을 할 때 도움이 된다. 당신이 행하는 하나하나가 모두 자녀들의 인생에 주신 하나님의 사명을 이루도록 자녀들을 준비시키는 행위가 된다.

자녀들을 위한 비전 선언

당신은 자녀에 대한 비전을 가지고 있는가? 하나님의 나라 사업에서 그들이 어떤 역할을 할지 당신은 구체적으로 잘 모를 수 있다. 사실 굳이 알 필요는 없다. 당신의 아직 태어나지 않은 아기 혹은 신생아, 유치원생, 유년기 아이, 십대 아이 혹은 성년 자녀를 하나님께 단순히 드리기만 하라. 그리고 그는 하나님 나라를 위하여 태어났다고 가르치라. 단순히 이땅의 한 공간을 차지하러 온 것이 아니다. 하나님의 나라가 임하고 하나님의 뜻이 자녀의 삶에서 이루어지도록 속히 기도하라.

하나님 나라와 어쩌면 우리 나라, 혹은 세계를 위하여 당신의 자녀를 하나님께 기꺼이 바치겠는가? 당신의 기도를 적어보라. 당신의 자녀에게 생명을 주시도록 주님께 당신 자신을 굴복시킬 수 있는가?

자녀에게 하나님의 전신 갑주를 입히라.

에베소서 6장 10-17절을 읽으라. 자녀를 위하여 다음의 문장으로 기도해보라.

주님, 마귀의 궤계를 능히 대적하기 위하여 _____에게 하나님의 전신 갑주를 입혀주옵소서(11절). 이 아이의 씨름은 혈과 육에 대한 것이 아니요 정사와 권세와 이 어두움의 세상 주관자들과 하늘에 있는 악의 영들에게 대한 것입니다(12절).

_____ 가 하나님의 전신 갑주를 입도록 기도합니다. 이는 악한 날에 _____ 가 능히 대적하고 모든 일을 행한 후에 서기 위함입니다(13절).

그런즉 _____ 가 서서 진리로 허리 띠를 띠고 의의 흉배를 붙이게 하옵소서(14절).

주님, 평안의 복음의 예비한 것으로 _____ 에게 신 신겨주시고(15절).

모든 것 위에 _____ 가 믿음의 방패를 가지고 이로써 능히 악한 자의 모든 화전을 소멸하게 도와주소서(16절).

이제 주님, 구원의 투구를 _____ 의 머리에 씌우시고 성령의 검 곧 하나님의 말씀을 _____ 의 손에 쥐어주소서(17절).

성령 안에서 이 기도와 간구를 드립니다. 이 아이를 위해서 모든 인내와 간구로 항상 저를 깨어 있게 하옵소서(18절). 예수님의 이름으로 기도드립니다. 아멘.

당신의 믿음을 자녀와 나누라

우리는 자녀를 대신해서 의사 결정을 할 수도 없지만, 또한 자녀들과 그리스도에 대해 나누는 일에 있어서 그냥 손 놓고 있는 태도를 가져서도 안 된다. 아내가 임신한 사실을 안 그날부터 당신의 자녀와 또 그 후손의 구원을 위하여 기도하기 시작하라.

1. 자녀에게 하나님이 얼마나 그를 사랑하시는지 그리고 하나님이 그의 인생에 대한 계획을 가지고 계심을 알려주라.
2. 자녀가 고의로 불순종했을 때 죄의식을 느끼게 하라.
3. 하나님에 대한 자녀의 질문에 단순하고 직접적인 언어로 대답하라.
4. 그리고 그가 예수님께 자신의 죄를 사하여주시고 그의 마음에 들어와 주시기를 구하면 예수님은 즉시 그 안에 오셔서 거하신다는 것을 말해 주라. 또한 그가 언젠가 천국에서 예수님과 함께 살게 될 것이란 것도 말해주라.
5. 그의 질문에 계속 답해주고 그를 위해 기도하라.
6. 자기가 원하는 때에 반응하도록 끝까지 기다려주라.
7. 자녀가 그리스도인이 되겠다는 결정을 할 준비가 되었을 때는 결코 뒤로 미루지 말라. 목사님께 말씀드리려고 기다리지 말라. 그의 마음이 온유하게 준비된 바로 그 순간에 그를 주님께로 인도하라.

기도 제목

개인적으로 이 책을 공부하고 있다면 당신과 가족들의 기도 제목을 적으라. 만일 그룹으로 이 책을 공부하고 있다면 기도 시간을 절약하기 위해 5-6명 정도의 소기도 모임으로 나누라. 이번 주 동안 집에서 잊지 않고 기도할 수 있도록 다음에 기도 제목을 기록하라.

8

자녀와 아버지의 관계 II

자녀를 위한 세 가지 선물

자녀들에게는 부모들의 무조건적인 사랑, 견고하고 안전한 울타리

그리고 예수님을 알고 따르는 기회가 필요하다.

이번 주에는 우리 자녀들을 위한 훈육과 제자도의 문제를 다루게 된다.

훈육

어린 자녀를 둔 아버지들의 경우 아이를 훈육할 때 가장 큰 문제점이라고 생각되는 것을 1위부터 10위까지 순위를 매겨보라.

_____ 한 번 불러서는 즉시 오지 않는다.

_____ 무엇을 시키면 '싫어요' 한다.

_____ 짜증을 낸다.

_____ 시킨 것을 잊어버린다.

_____ 침착하지 못하고 산만하다.

_____ 잠을 자지 않으려고 한다.

_____ 주의력이 부족해서 무엇을 자주 엎지르거나 깨트린다.

_____ 거짓말을 한다.

_____ 책망을 받을 때 토라져서 시무룩하게 있다.

_____ 자기가 항상 가족의 중심이 되려고 한다.

유년 아이들이나 십대 아이들을 둔 아버지들의 경우 자녀 양육에 있어 가장 큰 문제가 되는 것을 1위부터 10위까지 순위를 매겨보라.

_____ 하지 말라고 한 것을 한다.

_____ 건전하지 못한 곳에 가거나 좋지 못한 사람들을 만난다.

_____ 부모에게 말대꾸한다.

_____ 시킨 것을 잊어버린다.

_____ 게으르고 굼뜨다.

_____ 부모와 언쟁한다.

_____ 숙제를 하지 않거나 제출하지 않는다.

_____ 거짓말을 한다.

_____ 책망을 받을 때 토라져서 시무룩하게 있다.

_____ 자기가 항상 가족의 중심이 되려고 한다.

훈련자로서 당신의 가장 큰 문제 8가지의 순위를 매겨보라.

_____ 너무 피곤해서 일관성 있게 훈련시킬 수 없다.

_____ 그냥 조용히 지내며 갈등을 피하고 싶다.

_____ 정신이 없어서 타이르는 것을 잊어버린다.

_____ 화를 내고 소리지른다.

_____ 엄격해지는 것을 싫어한다.

_____ 우격다짐이 되어서 자신도 놀란다.

_____ 자녀의 인정을 받고 싶다.

_____ 양가 부모님들이 나를 지지해주지 않다.

아이의 행동과 관련하여 가장 시급한 문제는 무엇인가? 훈련자로서 당신

의 행동과 관련하여 가장 시급한 문제는 또 무엇인가? 아이의 훈육에 있어 당신의 목표는 무엇인가?

대체로 보면 어린 자녀에게는 엄격한 규칙과 규율을 먼저 두는 것이 옳다. 그 다음에 차차 아이가 신뢰감을 주는 행동을 할 때마다 조금씩 더 독립을 허용함으로써 보상해주라. 독립을 앗아가는 악인의 입장에 서기보다는 독립을 더 많이 허용하는 '호인'의 입장에 서는 것이 더 멋지지 않는가? 자녀 양육의 목표는 우리 아이들이 언젠가 우리 곁을 떠날 때 우리에게서 독립하게 하는 것이다. 기억하라. 우리 아이들이 나중에 그들의 짝을 만나 인연을 맺기 위해서는 우리를 떠날 필요가 있다.

그렇다면 연령별로 우리 아이들에게 적절한 경계는 어떤 지점들인가? 각 가정이 나름대로 자신들의 경계선을 정해야 한다. 혹 다음의 질문들이 당신의 생각을 종이에 적는 데 도움이 될지 모르겠다. 당신이 적은 답을 바탕으로 아내 혹은 모임의 회원들과 토론해보라.

- 낮잠 시간 / 취침 시간 / 귀가 시간의 지침은 무엇인가?
- 식탁에서 식사할 때, 간식을 먹을 때 또는 가족과의 저녁 식사를 위해 귀가하는 것과 관련하여 어떤 지침이 있는가?
- 친구들과 밤을 보내는 일에는 어떤 지침이 있는가?
- 숙제를 하는 데는 어떤 지침이 있는가?
- 혼자서 시장에 가는 데는 어떤 지침이 있는가?
- 데이트 하는 것과 관련해서는 어떤 지침이 있는가?

• 관람할 수 있는 영화 등급과 할 수 없는 등급은 각각 무엇인가?

• 들을 수 있는 음악, 들을 수 없는 음악이 각각 있는가?

• 자녀에 대한 재정적인 지원을 언제 끊을 것인가?

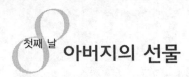

첫째 날 / 8 아버지의 선물

오늘 기도할 때 당신의 하늘 '아버지'에게 이야기하라.
기도 시간에 그분을 히브리어로
아버지를 뜻하는 '아바'라고 불러보라.
그분은 당신과의 따뜻한 개인적인 관계를 원하고 계신다.

아버지가 자녀에게 줄 수 있는 세 가지 선물은 무조건적인 사랑의 '담요'와 훈육의 '회초리' 그리고 생명의 '떡' 곧 하나님의 말씀이다. 이 세 가지는 평생 동안 자녀와 함께하게 된다. 당신의 아이가 이것들을 필요로 하지 않는 때는 결코 없을 것이다.

사랑의 선물

첫 번째 선물은 사랑이다. 모든 자녀에게는 무조건적인 사랑의 담요가 필요하다. 절대적인 사랑만큼 자녀들의 영혼 — 그의 생각, 의지, 감정 — 에 필수적인 영양분은 없다.

제한 없는 사랑이란 무엇인가? 성경은 그것을 아름답게 묘사하고 있다. 고린도전서 13장 1-8절을 읽으라. 1-3절에 따르면 사랑보다 덜 중요한 것들은 무엇인가? 긍정적으로 서술된 사랑의 특징들은 무엇인가?(예를 들면, 사랑은 ____ 하며)

4-6절에 따르면 부정적으로 서술된 사랑의 특징들은 또 무엇인가?(예를 들면, 사랑은 ____ 하지 않으며) 사랑의 특징들 중에서 당신이 자녀에게 전달하기가 가장 힘든 것은 무엇인가?

사랑은 오래 참는다. 아이들은 스케줄에는 관심이 없다. 자녀들은 아버지가 자기들에게 완전히 집중해준다는 것을 알고 방해 없이 당신과 함께 있는 시간이 필요하다.

사랑은 온유하다. 아버지의 목소리는 다정하고 부드러워야 한다. 자녀에게 온유함을 표현하는 데 있어 목소리를 잘 이용해보라.

조건 없는 사랑을 방해하는 세 가지 장애물

모든 아이들은 사랑을 필요로 한다는 것을 우리는 잘 알고 있다. 그러면 우리가 그 사랑을 주려고 노력해야 하는 이유는 무엇인가? 거기에는 적어도 세 가지 이유가 있다.

A. 부모에게서 받은 사랑의 부족

어떤 남성들은 부모의 손에서 학대를 당한 경험 때문에 그들의 자녀를 사랑하는 데 문제를 안고 있다. 사랑을 주기 위해서는 먼저 사랑을 받아야 한다.

B. 자기 중심성

고린도전서 13장 5절에서 '사랑은 자기의 유익을 구치 아니하며' 라고 말한다. 자녀에게 사랑을 주는 데 있어서 아버지들이 직면하는 두 번째 어려움은 자기 중심성이라는 문제다. 자녀를 사랑한다는 것은 자기 희생을 요구한다.

C. 성과를 기반으로 한 수용

아버지들이 극복해야 할 세 번째 장애물은 성과를 기반으로 한 수용이다. 때때로 우리는 아이들이 단지 우리의 자녀이기 때문에 사랑하고 수용하는 대신에 우리를 기쁘게 하는 행동을 할 때만 그들을 인정하려는 유혹을 받게 된다. 아버지들이여, 당신은 자녀가 당신을 기쁘게 하는지의 여부에 관계없이 그들을 사랑하겠는가?

좋은 아버지 Tip

어린 꼬마들은 아버지가 항상 곁에서 사랑으로 돌봐주어야 한다. 초등학생 자녀들과 십대들은 당신의 집중적인 관심을 필요로 한다. 장성한 자녀들은 아버지의 기도의 힘에서 나오는 지혜와 격려를 필요로 한다.

8 아버지의 훈육

기도로 **시작**하기

> 아버지, 제 안의 깊은 심연과 인격에 거하시는
> 당신의 성령이 주시는 능력으로 저를 강하게 하옵소서.
> 자녀 양육에 관한 진리를 제대로 알고 이해할 수 있도록
> 제 마음의 눈을 빛으로 충만케 하옵소서.
> 예수님의 이름으로 기도드립니다. 아멘.

훈련자는 누구인가?

부조건적인 사랑이 자녀에게 주어질 때 그 아이는 아버지가 줄 수 있는 두 번째 가장 중요한 선물인 훈육도 받을 수 있다. 반항하는 마음을 가진 아이는 하나님의 말씀을 받아들이는 데 어려움이 있다. 그러나 부모에게 순종하는 법을 배운 아이는 언젠가 하나님께도 순종하게 된다. 우리가 자녀들을 훈육하고 그들에게 우리 말을 듣고 순종하라고 가르칠 때 우리는 그들에게 하나님의 음성을 듣고 순종하는 훈련을 시키고 있는 것이다.

자녀들에게 훈육의 선물을 주기 위해서 우리는 먼저 훈육의 권위자를 세워야 한다. 출애굽기 20장 12절, 에베소서 6장 1절 그리고 골로새서 3장 20절

을 읽고 자녀 위에 있는 최고 권위자가 누구인지를 확인하라.

가족이라는 단위 조직에서 하나님이 세우신 계획은 부모를 자녀들의 권위자로 삼는 것이다. 이 계획이 폐기된다면 혼란스러울 것이다. 자녀들은 어머니와 아버지 두 분을 모두 공경하고 그들에게 순종해야 한다. 아버지는 하나님이 정하신 가정의 머리다(골로새서 3장 18절). 하나님의 질서 속에서 어머니는 아버지의 리더십에 복종해야 하고, 자녀들은 또 부모님께 복종해야 한다. 하나님의 계획은 바로 아버지 당신이 자녀들의 인생에서 권위자로 서는 것이다. 그것은 정부나 학교 제도가 대체할 수 없고 자녀 자신은 더더욱 아니다.

훈육의 단계는 대체로 다섯 단계로 나뉜다.

- 규칙을 알려주기
- 말로써 잘못을 타이르기
- 가볍게 체벌하기
- 잘못을 시인하면 용서하기
- 잘못을 교정하기

규칙을 알려주는 단계

훈육의 첫 번째 단계는 규칙을 주지시키는 것이다. 이것은 당신이 자녀에게 정확히 무엇을 기대하는지를 명확하게 말해주는 것을 의미한다. 하나님은 우리에게 그분의 기준을 주실 때 결코 모호하게 하지 않으신다. 우리도 자녀들을 위하여 기준을 세울 때 모호하거나 불분명하게 해서는 안 된다.

말로써 잘못을 타이르는 단계

두 번째, 자녀들이 잘못을 했을 때 말로써 타이르라. 아이에게 잘못된 행위를 그만두라고 명확히 말하라. 간단히 '그만' '안 돼' 혹은 '그러지 마' 라고 말하면 된다. 십대들의 경우 그들이 당신이 정한 기준에 어긋나는 행동을 할 때 이런 말은 감정의 대립을 초래한다. 다음 이틀에 걸쳐 우리는 나머지 훈육의 세 단계를 살펴볼 것이다.

좋은 아버지 Tip

자녀들은 두 가지 이유로 당신을 몰아세워 당신이 정한 규칙들을 시험해볼 것이다.

1. 그들은 그 규칙이 여전히 유효한지 그리고 당신이 그 규칙을 여전히 고수하고 있는지 알고자 한다. 이것은 자녀들에게 안전한 느낌을 들게 해준다.

2. 둘째, 그들은 자신들이 커가는 만큼 규칙도 따라서 변하는지 시험하고 싶어한다. 결국에는 아이들이 각 규칙의 한계를 넘어설 만큼 성장해버린다. 따라서 당신은 지속적으로 아이가 얼마나 자랐는지를 점검해야 한다. 자녀들이 그 한계를 시험할 때 갈등을 빚는 것은 당연하다. 그것은 성장의 일부다. 불변의 규칙들에 대해서는 확고한 입장을 견지하고, 아이의 성장에 맞춰 조정이 필요한 규칙들에 대해서는 신축적으로 대처하라.

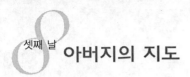

셋째 날 8 아버지의 지도

주님, 우리 아이들을 위한 규칙을 효과적으로 정할 수 있도록
당신이 저를 훈육하여 주옵소서. 제가 제 아이를 가르치듯이 한 번에
한 단계씩 저를 가르쳐주셔서 감사합니다. 또한 제가
당신과 동행하는 것을 배울 때 제게 보여주신 큰 인내에 감사를 드립니다.
예수님의 이름으로 기도드립니다. 아멘.

훈육에 관한 성경 말씀

당신과 당신의 아내는 자녀를 훈육하는 방법에 대해 결정할 필요가 있다.
당신의 자녀들을 울타리 안에 잘 보호하기 위해서 어떤 방법을 쓰려고 하는
가? 이 문제에 대해서 하나님의 말씀은 어떻게 이야기하고 있는지 알아보자.
부탁하건대 다음의 성경 구절들을 부지런히 공부해보라. 성령님이 이것들을
통하여 당신에게 직접 말씀하시게 하라.

잠언 19장 18절, 13장 24절, 10장 13절, 22장 15절, 20장 30절, 26장 3절,
29장 15절, 23장 13절, 14절. 이 말씀들을 행하기 위해서 당신은 어떤 조치를
취해야 하는가?

가벼운 매를 드는 단계

훈육의 세 번째 단계는 가벼운 체벌이다. 우리 문화에서는 별로 인기가 없지만 하나님의 말씀은 가끔씩 가벼운 체벌이 필요함을 분명히 밝히고 있다. 체벌의 목적은 자녀들에게 순종을 훈련시키고 불순종에 대한 고통의 결과를 가르치기 위함이다. 다만 이것은 아이가 고의로 '면전에서' 반항적으로 정해진 규칙을 어기려고 할 때만 사용되어야 한다.

십대들에게는 다른 형태의 적절한 훈육 조치가 필요하다. 자녀가 중학교나 고등학교에 들어가면 아버지들은 기존의 훈육 방식을 재고해볼 필요가 있다. 아이는 권위에 순종하는 것으로부터 부모를 기쁘게 하는 것으로 사고의 이동을 한다. 이제 그는 내적인 자기 통제력으로 순종해야 한다. 만일 순종하려 들지 않는다면 아픈 결과를 맛보아야 한다. 이를 테면 권리의 상실과 같은 대가를 치러야 하는 것이다.

18-24개월부터 12살까지의 아이가 반항적으로 그리고 고의적으로 명확하게 언급한 규칙을 어길 경우 오직 그때만 가벼운 체벌을 하라. 엉덩이를 세번 세게 때리는 것으로 충분하다고 본다. 아이를 사랑하고 염려하는 부모가 불순종하는 아이를 체벌하는 것은 사랑의 행위다. 그러나 엉덩이를 제외한 머리, 입, 팔, 다리 혹은 신체의 다른 일부는 결코 때리지 말라. 그리고 손으로는 때리지 말라. 손은 사랑과 보살핌을 위한 것이다. 여기에 대한 예외는 오직 이제 걸음마 하는 아이가 위험한 물건에 손대려 할 때만이다. 그리고 절대 공개적인 장소에서 때리지 말라. 아이의 프라이버시를 존중해주라. (한편, 어떤 사

람들은 이런 식의 체벌을 잘못 오해해서 당신이 아이를 학대한다고 생각할 수 있다. 미국에서는 이것이 법적으로 논쟁거리가 될 수 있다.)

가벼운 체벌과 관련하여 한 가지 더 주의할 점이 있다. 체벌한 직후에 아이가 당신과의 관계를 회복할 준비가 되어 있지 않다면 그에게 15-20분간 혼자 있는 기회를 주라. 그 아이에게 돌아가는 것을 잊지 않도록 타이머를 설정해놓으라. 그 아이를 우리가 내일 다루게 될 훈육의 마지막 단계로 인도하라.

주님, 아이를 훈육하는 데 있어서 일관성을 유지하고 싶습니다. 제가 너무 심하거나 혹은 너무 약하지 않게 도와주옵소서. 아버지, 제 아이를 당신의 말씀에 따라 훈육할 수 있도록 저를 훈육하여주옵소서. 예수님의 이름으로 기도드립니다. 아멘.

좋은 아버지 Tip

십대 아이들은 일시적인 귀머거리라 해도 과언이 아니다. 당신이 명확히 언급한 규칙을 그들과 함께 토론하는 시간을 가짐으로써 이 문제를 해결하라. 부모들이 자녀들에게서 기대하는 바를 글로 적은 다음 거기에 각각 서명을 함으로써 그 기대들을 명확히 이해하고 있게 해야 한다.

8 _{넷째 날} 아버지의 의무

기도로 시작하기

하늘에 계신 아버지, 앞으로 제가 해야 할 자녀 양육의
직무에 대하여 당신의 지혜로 저를 채워주옵소서.
저는 약하나 당신은 강하심을 인정합니다.
예수님의 이름으로 기도드립니다. 아멘.

잘못을 시인하는 단계

잘못을 시인하고 용서하며 또 교정하는 문제는 훈육의 마지막 단계다. 먼저, 아이가 잘못을 고백하는 문제를 논의해보자. 그것은 단순히 아이가 잘못했을 때 그 죄를 인정할 필요가 있다는 의미다. 그의 행위가 의도적이든 아니든 그는 잘못을 입으로 표현해야 한다. 잘못을 인정하는 것을 배움으로써 아이는 보다 쉽게 자신의 죄를 하나님께 고백할 수 있게 된다.

잠언 28장 13절을 읽으라. 잘못을 했을 때 우리는 어떻게 해야 하는가? 잘 모르고 잘못을 저질렀을 경우 그것을 고백하면 용서를 받거나 잘못을 바로잡기 위한 죄 값을 지불해야 한다. 잘못을 시인하고 용서하는 단계는 30초면 충분할 것이다.

당신이 이 개념을 가르치는 데 있어 가장 중요한 것은 당신 스스로 그것을 실천하는 것이다. 당신이 잘못을 했을 때 당신은 터놓고 솔직히 그것을 고백해야 한다. 당신이 아내와 아이들에게 잘못된 행동을 했다면 그들에게 사과하고 용서를 구하라. 아이들은 부모의 모델을 통해서 고백의 중요한 교훈들을 가장 잘 배운다. 아내와 나는 정직하게 실수를 인정하는 우리의 행위가 우리 자녀들도 그렇게 하도록 고무시키고 그들을 우리와 더 친밀한 관계로 이끌어준다는 것을 배웠다.

용서하는 단계

자녀가 그의 죄를 시인하면, 하나님이 당신의 죄를 용서하여주신 것처럼 당신도 자녀를 완전히 용서해주어야 한다. 시편 86편 5절을 읽으라. 용서가 필요한 사람은 누구인가? 용서하는 사람은 누구인가?

마가복음 11장 25-26절을 읽으라. 지금 이 순간 당신의 마음을 점검해보라. 당신의 자녀 혹은 다른 누구에 대해서 어떤 일로 마음이 상해 있는가?

요한일서 1장 9절을 읽으라. 당신의 자녀가 저지른 모든 잘못에 대해서 그를 완전히 용서했는가? 그들도 당신을 용서했는가?

잘못을 바로잡는 단계

출애굽기 21장 23-25절을 읽으라. 죄 값을 정하는 방식은 무엇이었는가?

구약의 율법에 따르면 죄 값은 저지른 죄에 상응하도록 치러야 했다.

레위기 6장 1-7절을 읽으라. 거짓말하거나, 도적질하거나 혹은 남의 물건을 잃어버렸을 경우 어떻게 회복시키며 또 어떻게 돌려주었는가?

잠언 6장 30-31절과 누가복음 19장 2, 8절을 읽으라.

훈육에서 죄 값을 치르는 단계는 잘못을 바로잡는 것이다. 부모들은 잘못된 행위에 대해서 정당한 죄 값을 징해놓아야 한다. 너무 심하거나 부당하게는 하지 말라. 사소한 잘못에 대해서 한 달 동안 십대 아이를 외출 금지시키는 것은 너무 지나친 처사다. 잘못에 합당한 처벌을 하라. 자신이 마음을 상하게 한 사람들과의 관계를 회복할 기회를 아이에게 주라.

그리고 훈육이 끝나면 아이와의 교제를 완전히 회복하기 위해 노력하라. 아이를 끌어 안고 이제 모든 일을 마무리하라. 훈육에 대해서 사과하지는 말되, 관계 면에서 아무런 찌꺼기가 남지 않도록 그리고 양쪽 다 아무 문제가 없도록 하라.

좋은 아버지 Tip

자녀들에게 그들의 불순종을 당신이 심각하게 받아들이고 있음을 알리라. 자녀에게 직접적인 명령을 할 때는 웃거나 미소짓지 말라. 당신에게 순종하는 일은 아주 중요한 문제임을 아이에게 가르쳐야 한다.

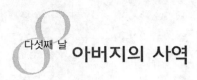

기도로 **시작**하기

(마가복음 4장을 토대로 자녀를 위해 기도하면서 시작하라.)

주님, 제 아이의 삶에 뿌려진 하나님의 말씀의 씨앗이 뿌리를 내리기 전에 사탄이 그것을 낚아채지 못하도록 보호하여주시길 기도합니다. 아이의 마음속에 있는 반항심과 고집의 바위를 부수고 당신의 말씀이 그의 삶에 확고히 자리하게 하옵소서. 당신의 말씀이 결실을 맺지 못하도록 막는 세상의 염려의 가시나무와 엉겅퀴 그리고 재리의 유혹을 아이의 인생에서 제하여주옵소서. 제 아이의 삶이 옥토가 되어서 그 아이가 주의 말씀을 들을 때 잘 받아서 삼십 배, 육십 배, 백 배의 결실을 맺도록 도와주옵소서. 예수님의 이름으로 기도드립니다. 아멘.

생명의 떡을 주라

자녀를 훈육한 후에 그들에게 줄 세 번째 선물은 그리스도와 그분의 나라에 대한 진리를 자녀들에게 전하는 것이다. 당신이 아이를 대신해서 예수님을 영접할 수는 없지만, 그의 믿음이 자라는 데 도움이 되는 환경을 만들 수는 있다.

신명기 6장 4-9절을 다시 읽으라. 하나님이 당신이 하기를 원하시는 첫 번째 일은 무엇인가? 당신은 5절 말씀을 과연 어느 정도까지 실행해야 하는가?

하나님에 관한 진리를 자녀들에게 전달하기 위한 전략

- **가르침을 통하여** – 하나님에 관한 일회성 언급이 아니라 훈련을 위한 구체적인 시간을 정하라. 자녀들이 마음과 성품과 힘을 다하여 주님을 사랑하도록 가르치기 위한 시간을 미리 목적하고 계획하라. 일곱째 주에서 우리는 자녀에게 예수님을 가르치기 위한 주 일회의 특별한 시간, 즉 가족의 밤에 대해서 다루었는데 거기에서 아이디어를 구할 수도 있다.

    1. 자녀가 주일학교에서 미리 답을 암기해버린 질문은 피하도록 하라.
    2. 질문을 한 후에 아이가 답하게 하고 그의 말을 들으라. 쉽게 보이지만 그렇지 않다. 단지 '예' '아니요' 혹은 고개만 끄덕이도록 요구하는 질문은 삼가라.
    3. 질문에 대한 아이의 답을 이용해서 나눔의 시간을 가지라. 아이의 감정을 저하시키지 않으면서 그의 이해를 돕는 방식으로 변화를 주라. 그가 무엇을 말하던지 이렇게 받아주라. "말해줘서 고마워. 자, 어디 보자."
    4. 아이가 각 단계의 의미를 이해할 수 있도록 처음에는 관심을 갖게 하는 것에서 그 다음 믿음의 고백을 하는 단계로 서서히 넘어가라.[1]

- **대화를 통하여** – 자녀가 자발적으로 질문을 할 때면 언제든지 또는 상황이 허락하는 대로 아이와 대화하라. 집에 있을 때는 제일 먼저 아침에, 낮에는 여기저기 오가는 동안에 그리고 밤에는 잠자리에 들 때 이런 일이 일어날 수 있다. 이런 대화의 기회를 자주 찾아보거나 아니면 직접 기회를 만들 수도 있다.

• **음악을 통하여** – 모든 연령의 아이들은 그들이 듣는 음악의 영향을 많이 받는다. 우리는 아이들이 아직 갓난아기였을 때 '주 나를 사랑하시오니(Jesus Loves me)' 같은 노래를 연주하거나 부르기 시작했다. 밤에 아이들을 흔들어 재울 때에도 이 노래들을 불러주었다. 집과 차 안에서는 기독교 음악을 들려주라. 이것은 성경의 진리를 가르치는 좋은 방법이 되며 아이들도 좋아한다. 대부분의 십대 전후 아이들은 음악을 좋아한다. 그들을 그리스도인 뮤지션들의 CD나 콘서트에 많이 노출시키라. 여러 기독교 관련 잡지들을 통해 경향을 파악할 수 있다. 다양한 그리스도인 뮤지션들의 음반을 사주어도 좋다.

좋은 아버지 Tip

당신의 십대 혹은 이십대 자녀에게 격려의 말을 담은 그러나 어떤 충고도 덧붙이지 않은 이메일을 보내라. 멋진 이메일 카드를 하나 찾아서 사랑과 기도를 담아 보내라. 혹은 당신이 그들을 위해 기도하고 있으며 또 그들을 믿고 있다고 적은 사랑의 쪽지를 그들의 침대 위에 남기라.

안식일 학습

주 예수님, 제 아이를 무조건적으로 사랑하고 또 그들을 훈육하고
제 믿음을 그들과 나누는 것이 제게 힘든 일임을 고백합니다.
당신의 이름으로 그들을 사랑하고 그들을 다스리며
또 그들이 당신께 굴복하도록 격려할 수 있는 능력을 제게 주옵소서.
그 아이들을 기쁘게 하는 것이 아니라 당신을 기쁘게 하는 삶을 살고 싶습니다.
오 주님, 제 마음을 새롭게 함으로 저를 변화시켜주옵소서.
예수님의 이름으로 간절히 기도드립니다. 아멘.

이번 주의 안식일 학습은 주말 이틀 동안 계속된다. 그러나 당신의 자녀들을 위한 사랑, 훈육 그리고 영적 훈련에 관한 주제들을 깊이 공부해나갈 때 그만한 가치가 충분히 있을 것이다.

무조건적인 사랑을 주라

요한일서 3장 23절을 읽으라.

'서로 사랑하라.' 사랑하는 것은 명령이다. 그러나 당신이 자녀에게 사랑을 주는 것이 왠지 어색하게 느껴질 수도 있다. 왜냐하면 당신이 그런 사랑을 받아본 적이 없기 때문이다. 어떤 이들에게는 '아버지'라는 말이 듣기만 해도

움찔해지는 것일 수 있다. 당신의 부모들은 자격 있는 부모들이 못 되었을 수 있다. 어쩌면 그들은 당신을 심하게 학대했을 수도 있다. 당신이 육신의 부모님과 바른 관계가 아니었기 때문에 하늘 아버지와 관계하기도 힘이 드는 것이다. 당신을 위해서뿐만 아니라 당신의 자녀를 위해서도 그 상처의 치유를 위해 노력해야 한다.

이 순간 하나님께 당신 마음속의 그 오랜 상처를 치유하여주시길 간구하겠는가? 그분께 모든 원한과 상처 그리고 고통을 씻어달라고 기도하라. 용기를 내어 하나님이 당신 안의 그 어두운 내실로 들어오시게 하라.

이 과정에서 당신이 취해야 할 행동이 있다. 어느 누구도 당신 대신에 그 일을 할 수 없다. 당신에게 깊은 상처를 준 당신의 부모님 그리고 다른 이들을 용서해야 한다. 물론 잘 안다. 그들은 자격이 없는 사람들이다. 그러나 당신에게 이 질문을 하고 싶다. 당신은 예수님의 용서를 받을 자격이 있는 사람인가? 당신은 진정 예수님이 십자가에 죽기까지 사랑할 만한 사람인가?

골로새서 2장 13-14절을 읽으라. 하나님을 대적했던 우리의 죄를 그분은 어떻게 하셨는가? 당신의 죄로 인해 하나님께 진 부채 증서를 그분은 어떻게 하셨는가? 하나님께 지은 당신의 죄를 그분은 어디에 못 박으셨는가?

당신의 아버지와 어머니가 당신에게 지은 죄가 아무리 크거나 작을지라도 당신이 그 죄들을 취하여 예수님의 십자가에 못 박아버리길 바란다. 거기서 이미 죄 값은 다 치러졌다. 이것이 당신에게 있어서 진정한 치유의 첫 단계이며 당신을 자유케 하여 자녀를 사랑하도록 도와줄 것이다.

희생적인 사랑

로마서 12장 1-2절을 읽으라. 우리는 예배의 행위로 하나님께 무엇을 드릴 수 있는가? 이것은 당신이 아버지가 되는 일에 어떻게 적용되는가?

아이들의 요구는 아침 9시부터 저녁 5시까지 혹은 월요일부터 금요일까지 언제든 끝날 줄을 모른다. 아버지들은 하루 24시간, 일주일 7일간, 일년 365일 내내 항시 대기 상태로 있어야 한다. 개인주의, 자기 중심적인 생활 방식은 아버지의 조건과 상치된다.

솔직히 고백하건대, 나는 처음에 내 아이들에게 사랑을 마음껏 주는 것이 어려웠다. 나는 양육 초기에 성과를 기준으로 수용하는 아비지들 가운데 한 사람이었다. 나는 자신을 사랑하기 위해서는 그런 보상이 필요하다고 생각하며 자랐다. 그래서 자연스럽게 우리 자녀들에 대해서도 똑같은 사고의 오류에 빠진 것이다. 주님이 이런 내 안에 먼저 일을 시작하시고, 나의 성과나 잘한 일이 아니라 나를 향한 무조건적인 사랑을 내게 보여주셨다.

부모의 무조건적인 사랑에 대해서 예수님이 들려주신 가장 위대한 이야기는 누가복음에 나온다. 누가복음 15장 11-24절을 읽으라. 이 이야기는 주로 둘째 아들에 관한 것이다. 그는 아버지에게서 무엇을 받았는가?

이 아버지는 둘째 아들에 대해서 화를 내고 문전 박대해도 될 충분한 이유가 있었다. 그는 냉정하게 돌아설 수도 있었다. 그러나 아들의 명백한 죄와 무책임함에 직면하게 된 아버지는 무조건적인 사랑을 베풀었다. 그의 사랑은 아들의 성과나 공적 때문이 아니었다. 그것은 아들의 행위에 근거를 두지 않고 있다. 아버지의 사랑은 그가 자기 아들인 것 그것으로 충분하다는 사실에 기초하고 있다.

아버지여, 당신 자녀의 인생은 당신의 손에 달려 있다. 자녀에게 사랑을 줄 것인지, 아니면 유보할 것인지에 대한 당신의 결정이 그의 인생 행로를 바꾸게 할 것이다. 그것은 자녀에게 줄 두 번째, 세 번째 선물의 기반이 된다. 당신이 사랑의 선물을 주지 않으면 다른 두 선물은 아무리 해도 효과가 없을 것이며, 최악의 경우 자녀에게 완전히 버림받게 될 것이다. 오늘 당신은 자녀를 무조건적으로 사랑하기로 다짐하겠는가?

훈육의 기쁨

잠언 10장 1절, 13장 1절, 15장 20절을 읽으라. 각 절에서 어떤 아들 두 명이 서로 비교되고 있는가? 지혜로운 아들은 어떻게 하고, 또 미련한 아들은 어떻게 하는가?

훈계를 받는 아들은 부모의 기쁨이 되고, 하나님이 그의 인생에 계획하신 것을 기꺼이 행한다. 훈계를 싫어하는 아들은 부모의 근심이다. 그는 너무나 많은 문제를 안고 있어서 그를 향한 하나님의 크신 목적으로 자신을 이끌어갈 수가 없다.

사무엘상 2장 26절과 누가복음 2장 40, 52절을 읽으라. 여기에서 두 아이는 누구인가? 그들은 어떻게 자랐는가? 예수님과 사무엘은 지혜와 키가 자라며 하나님과 사람에게 더욱 사랑스러워지셨다. 이것이 우리 훈육의 목표다. 우리는 자녀들이 영적으로, 육체적으로 그리고 관계 면에서 성장하기를 원한다. 가정에서의 훈육이 바로 그런 성장을 위한 환경을 조성할 수 있다. 하나님은 구약의 율법을 통하여 우리에게 그분의 기준을 정해주셨다. 십계명은 율법의 초석이다. 예수님은 신약에서 십계명을 주셨다. 이것은 구약의 율법을 요약한 것이다.

마태복음 22장 37-40절을 읽으라. 여기에서 우리의 행위에 대한 하나님의 명확한 기준은 무엇인가?

잠언 6장 20절을 읽으라. 이 절에서 명령과 법을 주는 자는 누구인가?

부모들은 자녀들에게 간단, 명확한 규정을 설정해야 한다. 자녀들은 해도 될 행동과 해서는 안 될 행동을 인지하고 있어야 한다. 부모들은 (1) 자녀가 규정을 제대로 이해하는지 그리고 (2) 그 규정들을 수행할 육체적 능력이 있는지를 분명히 알고 있어야 한다.

어린 자녀들에게 규정을 말해줄 때는 반드시 자녀의 얼굴을 똑바로 쳐다보고 하라. 눈을 마주본 다음 간단한 한 가지 지시만 하도록 하라. 당신의 지시를 따르는지 계속 지켜보라. 만일 그들의 불순종을 무시한다면 그것은 그들에게 당신의 말을 듣지 않도록 훈련시키는 것이 되며, 또한 그들에게 어떤 일을 시키는 데 있어 당신이 진지하지 않다고 믿도록 훈련하는 셈이 된다.

훈육의 기법

만약 아이가 의도적으로 나쁜 짓(대드는 행위)을 할 경우 부모가 취해야 할 첫 번째 형태의 훈육은 말로써 나무라는 것이다. 물론 이후 다른 형태의 훈육이 따르게 된다. 예를 들어, 당신이 아이를 불렀는데 무시하고 다른 쪽으로 달아나면 먼저 멈추라고 얘기하라. 그리고는 다음 단계의 훈육을 해야 한다.

아이가 잘 모르고 나쁜 짓을 할 때는 말로 나무라는 정도면 족하다. 예를 들어, 아이에게 우유잔을 식탁 모서리에 두지 말고 접시 옆에 바로 올려놓도록 훈련시킬 때 아이가 잊어버리고 식탁 끝에 둔다면 아이에게 우유잔을 옮기라고 말하라. 아이가 말을 잘 들을 것을 기대해야 한다. 그러나 또한 아이에게 되풀이해서 상기시킬 필요도 있다. 아직 그는 아이다. 그는 새로운 기술을 배우는 중이다.

그러나 당신이 아이에게 우유잔을 옮기라고 했는데도 아이가 일부러 거부한다면 이제 아이는 반항하고 있는 것이며, 따라서 가벼운 체벌이 따라야 한다.

아이들에게 적절한 경계선을 정해주는 일은 그들이 유년기를 벗어나도 계속되어야 한다. 중·고등학생의 아버지들은 자녀들이 말대답을 하거나 눈을 굴리는 등 다른 불손한 행동을 보일 때에는 꾸짖어야 한다. 아이들이 사소한 것일지라도 공손치 않은 행동을 하도록 그대로 내버려두면 그들은 더 과감하게 반항하는 행동들을 보일 것이다. 입으로 꾸짖는 것이 싹을 미리 자르는 길이다.

좋은 훈육과 적절한 규범을 정하는 일

아이의 일생을 위하여 우리는 적절한 규범을 정해놓아야 한다. 유년기와 초등학교 시절에는 외부의 훈육 기법으로 이를 보강할 수 있다.

로스 캠벨(Ross Campbell) 박사는 십대 초·중반의 자녀들을 양육하는 데 있어서 정말 귀중한 조언을 해주고 있다. 그는 이렇게 말하고 있다. "아이가 십대로 넘어가면서 훈육과 훈련은 점차적으로 부모 통제 기준에서 부모 신뢰 기준으로 변해야 한다. 아이가 십대에 접어들고 독립심을 느끼게 되면서 그는 자신의 행동에 대해서 더 많은 통제력과 의사 결정을 행사하려고 들 것이다. 부모들은 이 과도기를 가능한 무리 없이 그리고 상처가 남지 않도록 넘어가게 해야 한다."

또한 그는 우리가 먼저 해야 할 일은 아이들 안의 독립심을 정상적인 것으로 받아들이는 것이라고 말한다. "당신이 해야 할 것은 이 독립심의 허용 정도를 통제하는 것이며, 아이의 성숙도에 따라 그것을 평가하는 것이다. 이를 실행하는 데 있어서 당신이 가진 최고의 기준은 당신이 자녀를 얼만큼 신뢰하는지와 자녀의 자기 통제 능력이다."

자녀가 우리 곁을 떠날 때에도 여전히 적절한 행위 규범은 필요하다. 그들이 우리의 둥지를 떠나는 순간 그들은 자신들의 삶에 대해서 재정적으로, 정서적으로, 인간 관계에서 그리고 영적으로 책임을 지기 시작해야 한다. 우리는 언제나 자녀들에게 무조건적인 사랑과 지원 그리고 기도를 해줄 것이다. 그러나 그들이 완전한 인격체로서의 성인이 되도록 도와주기 위해서는 재정적인 지원 면에서 그리고 그들의 개인적인 문제에 너무 지나치게 개입하는 것과 관련해서는 명확한 경계선을 설정해야 한다. 이것은 우리 자신과 그들을 위해서 옳은 일이다. 우리의 목표는 그들이 우리를 떠나서 결혼을 하고 그래서 그들이 새로운 가족을 이룰 수 있도록 잘 준비시키는 것이다.

체벌을 할 것인가 말 것인가?

'볼기를 친다' 는 말은 요즈음은 별로 흔한 말이 아니다. 이것은 체벌에 대한 성경적인 용어다. 부모가 아이를 전적으로 돌보는 시기에는 체벌이 늘 따라야 한다. 체벌의 목적은 자녀로 하여금 당신의 권위에 복종하도록 하는 것이다. 이것은 나중에 자녀가 하나님 아버지의 권위에 순종하도록 도와줄 것이다. 엉덩이를 때리는 것이나 가벼운 매는 대부분의 부모들에게 있어 훈육의 가장 어려운 부분이다. 이것이 힘든 이유는 우리의 자녀를 잘 훈육하기 위해서는 우리가 먼저 잘 훈육이 된 사람들이어야 하기 때문이다. 자녀에게 적절한 훈육을 할 수 있으려면 훈육에 대한 하나님의 분명한 가르침에 복종하는 순종적인 부모가 되어야 한다.

당신이 어린 시절 학대를 받았다면 당신의 자녀를 적절히 체벌하는 것이 극히 어렵게 느껴질 것이다. 당신은 자신이 과거에 그랬던 것처럼 아이를 학대하려는 유혹에 빠지거나, 아니면 체벌을 전혀 하지 않으려는 유혹을 받게 될지도 모른다. 두 가지 입장 모두 잘못됐다.

당신이 수동적인 인격의 소유자이고 평온하기만을 바라는 사람이라면 아마도 자녀에게 매를 드는 데 어려움을 겪을 것이다. 당신은 아이의 마음을 상하게 하고 싶지 않을 것이다. 그렇게 하면 당신의 마음도 불편해진다. 그렇게 되면 이제 훈육을 완전히 피하려는 유혹을 받게 될 것이다.

우리의 인격과 배경이 어떠할지라도 우리는 자녀들에게 모든 좋은 훈육을 다 해주어야 한다.

부모들은 그들이 언제부터 매를 들기 시작해야 할지 궁금할 것이다. 덴 트럼벌(Den Trumbull) 박사에 따르면 "체벌은 15개월 이전 유아에게는 적절하지 못하고 보통 18개월 이후에나 필요하다."[2] 의심이 될 때는 꾸짖기만 하고 매를 들지는 말라. 우리 가족에게는 다음과 같은 기준이 있었다. 참고해도 좋다.

1. 규정을 어겼다는 것을 확인하라. 아이에게 규정을 다시 말하게 하고 잘못을 고백하게 하라.
2. 아이가 어느 정도 나이가 들었다면 자기 방에 가서 침대 위에 손을 올려놓고 기다리게 하고 당신은 회초리를 가져오라. 회초리를 가지러 가는 사이 이렇게 기도하라. "주님, 너무 과하지도 않고 너무 덜하지도 않게 하소서." 물론 처음에는 어린아이들이 매맞는 것을 기다리려고 하지 않을 것이다. 매를 가지러 갈 때 데리고 가야 할지도 모른다.
3. 볼기를 세 차례 때려주라.

4. 아이를 안고 위로하라. 우리는 보통 다음과 같이 말했다. "내가 너를 너무 사랑하니까 네가 그런 행동을 하도록 내버려둘 수가 없단다. 나도 너에게 매를 들고 싶지 않지만 네가 정말 하나님이 계획하신 훌륭한 사람이 되는 데 도움이 되는 일이라면 어떤 일이라도 할 거야."

5. 교제를 회복하라. 자녀에게 이렇게 말하라. "우리 같이 애기할까? 내가 널 얼마나 사랑하는지 잘 알 거야. 매를 들어서 네가 감정이 상했다는 거 알아. 하지만 네가 순종하지 않을 때는 또 그럴 수밖에 없어. 자, 이제 그만하고 어디 한번 안아볼까?"

어린이들을 위한 훈육

유년기 어린이들에게 훈육 기법으로서의 체벌은 위험하다. 심지어 많은 권위자들은 10세 정도에 체벌은 끝나야 한다고 믿고 있다.[3] 우리의 일반적인 규칙은 아이가 사춘기를 겪은 후에는 분명히 다른 훈육 방법을 사용할 때라는 것이었다. 여자 아이가 월경을 시작하고 남자 아이가 턱수염이 날 때 체벌의 때는 끝이 난다.

당신의 특별한 아이에게 매 드는 것을 언제 그만두어야 할지에 대해서 당신은 기도하고 경건한 조언을 구하며 고민도 해야 한다. 그때는 아이들마다 다르다. 남자 아이들과 여자 아이들은 특히나 다르다. 어떤 아이들은 민감하고 순종적이며, 또 어떤 아이들은 고분고분하게 말 잘 듣는 아이로 만들기 위해서 극적인 효과가 필요하기도 하다. 우리 모두가 어린이에 대해서 알고 있는 그리고 한 번쯤 이야기했을 것 같은 말은 바로 '아이들은 매맞을 짓을 찾아서 한다'는 것이다. 이것이 명백히 시사하는 바는 그들이 더 어릴 때 필요한 훈육을 제대로 받지 못했다는 것이며, 누군가 너무 늦기 전에 이 아이들을 잘 길들이기 위해서 용기를 내야 한다는 것이다. 어떤 어린이들은 거의 다 큰 청년같이 행동해서 그들에게는 매라는 것이 전혀 어울리지 않을 것처럼 보인다.

아이가 아직 어린 꼬마일 때 대놓고 반항한 것에 대해서 매를 들어 따끔하게 혼을 낸 적이 있다면 그 이후에는 너무 자주 매를 사용해서는 안 된다. 유년이 되고 십대가 되어도 당신에게 복종하는 마음을 가질 것이고, 대부분의 경우 잘 통제되고 신뢰받을 만한 행동을 하게 된다. 그들이 규칙을 어길 때 엄하게 꾸짖는 것만으로 그들은 회개하고 잘못을 고백하게 된다. 그러나 당신이 한 번도 매를 든 적이 없다면 십대 초반의 시기가 자녀를 당신의 권위에 순종하게 할 수 있는 마지막 기회가 된다.

십내를 징계하는 데 있어서 우리는 인과 응보의 벌이 가장 효과적인 방식의 훈육이라고 믿는다. 당신 아이가 반항이나 고집을 피웠다면 아이가 그 결과에 책임을 지도록 하라. 절대 아이를 봐주어서는 안 된다.

예를 들면, 아이가 학교에서 어떤 문제에 빠졌다면 선생님을 비난하거나 아이에게 유리한 상황을 만들기 위해서 학교에 가지 말라. 선생님이 정한 결과의 무게를 아이가 온전히 받아들이도록 두라. 아이가 물건을 훔치거나, 거짓말을 하거나, 시험에서 부정을 저지르면 관계 기관에서 당신의 아이를 온전히 벌하도록 내버려두고 그를 보호해주지 말라. 그를 위해 어떤 변명도 해주지 말라. 아이에게 당신은 그를 사랑하며 언제나 그럴 것이라고 알려주라. 그러나 그를 구조해주지는 말라. 그가 지은 죄의 결과를 온전히 경험하게 하라.

이것은 부모에게 가장 고통스런 형태의 훈육이다. 우리 아이들이 고통을 겪는 것을 보면 가슴이 찢어진다. 그러나 아버지들이여, 만일 당신이 진실로 자녀를 당신 자신보다 더 사랑한다면 자녀의 훈련을 끝낼 권한을 하나님께 온전히 드려야 한다.

기억하라. 당신은 아버지다. 그는 아이다. 때문에 그는 당신의 인도를 필요로 한다. 이렇게 할 때 아이는 마음의 안정을 가질 수 있다. 아이는 자신의 경계가 어디인지 알아야 한다.

마음의 변화

다니엘이 두 살이었을 당시 우리는 자유주의적인 신학과 사고를 가진 부모였다. 그래서 우리는 아이들을 체벌하지 않기로 결정했었다. 그런데 우리가 다니엘을 말로 설득할수록 아이는 점점 더 버릇이 없어졌다.

장모님은 우리의 양육 방식에 문제가 있음을 지적하셨다. 우리는 우리 입장을 옹호하려 했지만 그 메시지만큼은 우리의 정곡을 찔렀다. 매를 드는 것과 전반적인 훈육에 관해서 우리는 성경이 말하는 바를 읽어나가기 시작했다. 우리의 관심을 사로잡은 구절은 잠언 19장 18절 말씀이었다. "네가 네 아들에게 소망이 있은즉 그를 징계하고 죽일 마음은 두지 말지니라."

우리는 우리 아이의 죽음을 원치 않았다. 우리는 그것이 영적인 죽음인지,

감정적인 죽음인지, 혹은 육체적인 죽음인지 몰랐지만 그 중 어떤 것도 우리 딸아이에게 일어나지 않기를 바랐다.

지금 우리는 그것이 아마도 세 가지 죽음을 모두 의미한다고 믿는다. 내가 볼 때 자녀를 사랑하는 데 있어 징계할 정도까지 그 자식을 사랑하지 않는 부모의 자녀들은 세상에서 가장 슬픈 아이들이다. 그들은 파멸의 길로 치닫고 있는 것이다.

당신은 이제 하나님이 당신의 자녀를 징계하시는 그분의 도구로 당신을 사용하고자 하실 때 기꺼이 자신을 내어드릴 수 있는가? 당신은 경건한 자녀를 키우기 위해서 하나님과 협력하겠는가?

우리의 자녀들은 우리가 이럴 만한 충분한 자격이 있다. 그들은 하나님의 말씀을 부지런히 공부하고 거기에 순종을 다짐한 아버지들에게서 훈육을 받아야 한다. 당신의 자녀들은 충분히 그럴 가치가 있다.

생명의 떡을 주라

자녀들을 훈육한 후에 그들에게 줄 세 번째 선물은 그리스도와 그분의 나라에 관한 진리를 전해주는 것이다. 그렇다면 우리는 어떻게 그들을 가르쳐야 하는가?

'베지 테일(Veggie Tales)' 같은 기독교 비디오는 어린아이들에게 성경의 진리를 가르치는 데 안성맞춤이다. 우리 아이들이 자랄 때는 없었지만 우리 손자 손녀들은 아이들이 이해할 수 있게 만든 이 재미있는 성경 이야기 비디오들을 즐겨 본다. 기독교 서점이나 온라인 서점에서 찾아보라.

성경 이야기 – 아이들을 위한 다양하고 좋은 성경 이야기 책들은 기독교 서점에서 구입할 수 있다. 일단 이것을 권하기는 하지만 가장 중요한 성경 이야기 책은 물론 성경 말씀이다.

성경 공부 – 유년 아이들과 십대를 위한 어린이용 성경 공부 교재들은 가까운 기독교 서점에서 구할 수 있다.

성경 암송 – 아이들이 성경 암송 협회(Scripture Memory Fellowship)를 통해 많이 발전하는 것을 보아왔다. 이곳 주소가 이 책의 끝에 첨부된 참고 자료 페이지에 있다. 여기에서는 알파벳을 이용하여 영문자 하나에 그것으로 시작하는 성경 한 구절씩을 가르친다. 예를 들면 A의 경우는 이와 같다. "All we like sheep have gone astray. Each of us have turned to his own way"(우리는 다 양같아서 그릇 행하여 각기 제 길로 갔거늘, 사 53:6).

주일 학교 모임 – 자녀를 교회에 한 주도 빠지지 말게 하라. 당신과 마찬가지로 아이도 교회의 성경 공부 반에 참석해야 한다.

여름 성경학교(Vacation Bible School) – 여름 성경학교는 어린이들을 위한 한 주간의 집중 성경 공부 프로그램이다. 이것은 한 달 동안 주일 학교를 다닌 효과가 있다. 매년 아이를 여기에 보내라. 가능하면 당신의 자녀와 또 다른 아이들을 위해 당신의 영적 재능을 이 중요한 시간에 자원하여 헌신하라.

교회 청소년 캠프 또는 하기 선교 여행 – 많은 교회들이 십대들을 위하여 성경 공부와 기도 그리고 십대들의 문제에 초점을 맞춘 한 주간의 캠프를 연다. 선교 여행은 아이들에게 일하는 기회 그리고 다른 사람들을 섬길 기회를 줄 뿐만 아니라 그들의 신앙을 서로 나눌 기회도 제공한다.

식사 시간 기도 – 아이들에게 이런 기도는 가르치지 말라. "하나님은 크시며, 그는 선하시도다. 우리의 일용할 양식을 주신 하나님께 감사하자." 이것은 기도가 아니다. 시에 불과하다. 기도는 하나님과 직접 대화하는 것이다. 자녀에게 이런 식으로 기도를 가르치라. "사랑의 하나님, 이 음식을 주셔서 감사합니다. 그리고 저와 제 가족들을 보호해주셔서 고맙습니다." 우리 손녀 레이첼(Rachel)이 3살이었을 때 그 아이는 항상 기도를 이렇게 시작했다. "하나님은 우리 주인이에요." 그리고는 다른 기도를 했다. 우리는 지금도 그 세 살짜리 신학을 사랑한다.

식탁에서 손을 잡고 기도하라. 이것은 두 가지 중요한 의미를 지닌다. 아이들이 기도 중에 밥을 먹지 못하도록 하는 것과 매일 저녁 가족으로서의 특별한 유대감을 형성한다는 것이다. 아버지들이여, 가정의 영적 지도자로서 당신은 이 기도 시간의 성격을 규정할 필요가 있다. 이것은 당신이 매번 기도해야 한다는 말은 아니지만, 매번 이 기도가 이루어지도록 해야 할 책임이 있음을 의미하는 것이다.

식당에서 기도하라 – 이것은 다른 사람들에게 증거가 되며, 자녀들에게 아버지가 자신의 신앙을 부끄러워하지 않는다는 것을 가르쳐준다. 다시 한번 아버지들이여, 여기서도 리더가 되라.

잠 자리 기도 – 자녀에게 이렇게 기도를 가르치지 말라. "이제 나는 잠자리에 누워요." 이것도 역시 시다. 이런 식으로 기도하게 하라. "하늘에 계신 아버지, 오늘 하루도 감사합니다. 엄마와 아빠(그리고 다른 식구들)에게도 감사합니다. 하나님 당신을 사랑합니다. 당신께 순종하기를 원합니다. 예수님의 이름으로 기도드립니다. 아멘."

자녀에게 기도하는 법을 가르치려면 먼저 아이를 위해 한 번에 한 마디씩만 기도하라. 그리고 아이가 당신을 따라하게 하라. 시간이 흐르면 훈련의 운전대를 놓고 아이가 스스로 기도하도록 만들라. 아이에게 기도하는 법을 가르치는 방법 중의 하나는 구체적으로 각 아이를 위해 드리는 당신의 기도를 이용하는 것이다. 십대 아이들에게는 성경 공부 교재를 주고 시간과 장소를 제안해주어 자신들만의 경건의 시간을 갖도록 격려해주라.

위기 때의 기도 – 누군가 다치거나 비극적인 일이 일어났을 때 일을 멈추고 그 상황에 대해 자녀와 같이 기도하라. 좋지 않은 소식이 들릴 때 바로 그 순간 그 문제를 두고 자녀와 기도하라. 당신이 상심했을 때 아이에게 당신을 위해 기도하게 하라. 그들의 영적 깊이와 이해에 놀라게 될 것이다.

어떻게 가르칠 것인가

케네스 채핀(Kenneth Chafin) 박사는 자녀와 우리의 신앙을 나누는 것에 대해 통찰력 있는 제안을 하고 있다. "하나님에 대해서 자녀와 대화를 하고 싶을 때 절대 서둘러서는 안 된다. 깊이 있는 대화를 하고자 할 때는 대부분 학교나 애완 동물 또는 친구들에 관한 이야기로 먼저 시작하라. 아이들은 사물을 깊이 있게 느낀다. 그러나 많은 경우 그것을 말로 잘 표현하지 못한다. 따라서 아이들과의 대화는 시간과 이해가 필요하다."

우리는 어린아이들의 이해력을 과소평가하는 경우가 많다. 우리 집 아이들은 아주 어린 나이 때 에수님을 구주로 영접했다. 한편, 너무나 많은 아이들은 마음의 아무런 결정도 없이 그냥 살아가고 있다. 그렇게 자녀가 10살 내지 12살이 되어버리면 부모들은 그때서야 "늦은 것 같아. 빨리 아이를 구원받도록 해야겠어" 하며 당황하게 된다.

만일 이런 경우라면 나는 좋은 기회를 엿보다가 아이에게 이렇게 말할 것이다. "난 네가 네 인생을 예수님께 드리기를 기도하고 있단다." (그런데 당신은 분명히 그렇게 하고 있어야 한다.) 그리고 그의 인생을 예수님께 드리는 데 어떤 의문이 있는지 물어볼 것이다. 만일 그렇다면 그것을 말하게 하고 그 자리에서 해결하도록 하라.

그렇지 않다면 계속 기도하라. 그러나 절대로 아이에게 자신이 기독교 가정에 속해 있고 교회에 다닌다는 이유만으로 그리스도인이 된다고 생각하지 못하게 하라. 지금은 아니지만 언젠가 그가 그리스도인이 되도록 당신이 그를 위해 기도하고 있다고 말하라.

아무도 자신에게 "당신은 그리스도인이 아니야"라는 말을 한 적이 없기 때문에 자신이 그리스도인이라고 여기는 사람들이 많은 것 같다. 대부분의 사람들은 자신들이 무엇이 아니라는 이야기를 들으면 오히려 그것이 되고 싶어한다. 아버지들이여, 당신의 자녀가 이해할 수 있는 나이가 되고 또 준비가 되었다면 신중하고 사려 깊게 그의 영적 상황에 관한 진실을 말해주라. 그것이 아이의 삶을 구원하는 길이다.

기도 제목

개인적으로 이 책을 공부하고 있다면 당신과 가족들의 기도 제목을 적으라. 만일 그룹으로 이 책을 공부하고 있다면 기도 시간을 절약하기 위해 5-6명 정도의 소기도 모임으로 나누라. 이번 주 동안 집에서 잊지 않고 기도할 수 있도록 다음에 기도 제목을 기록하라.

Wisdom for Fathers

아버지와 세상과의 관계 |

일에 대한 네 가지 성경적 테스트

당신이 일하는 동기는 무엇인가? 아내도 일하러 다녀야만 하는가?

성경은 이 문제들에 대해서 어떻게 이야기하고 있는가?

이번 주 공부에서는 이 중요한 문제들에 대한 해답을 찾기 위해서

우리의 일에 대한 네 가지 테스트를 하게 될 것이다.

가사의 분담

출근하기, 잔디 깎기, 차고 청소하기, 아이들 행사에 참석하기, 각종 청구서 납부하기, 심부름하기, 약속 지키기, 교회나 지역 사회에서 봉사하는 데 시간을 나눠 쓰기 등 이 모든 일들을 하려면 마치 요술을 부리듯 하지 않으면 안 된다. 이번 주의 실전 요령에서는 어떻게 하면 당신이 이 모든 일들을 다 감당할 수 있을지 그 방법에 대해서 알아보기로 한다.

가족들의 역할을 분담시키는 데 있어 가장 큰 어려움은 무엇인가? 그 문제를 야기시키는 당신의 개인적인 약점은 무엇인가?

다음 열 가지 일 가운데 당신과 아내에게 중요한 의미를 지니는 순서대로 1부터 10까지 순위를 매겨보라.

_____ 회사 업무
_____ 약속 이행
_____ 심부름
_____ 식료품 쇼핑

_____ 정원 관리

_____ 교회에서의 사역

_____ 집안 청소

_____ 아이들 프로그램이나 게임에 참석하기

_____ 아이 목욕시키기 및 밥 먹이기

_____ 가계부 정리(각종 청구서 및 세금)

가족들의 역할 분담과 관련하여 다른 아버지들과 공유할 정보가 있는가?

우리 아이들이 집에 있을 때 아내와 나는 대개 주일 밤에 다음 주를 예상하며 주간 회의를 정기적으로 가졌다. 매일매일 어떤 일이 일어날지를 서로 이야기하고, 여러 일들을 완수하기 위해서 한 주일을 어떻게 계획할 것인지를 토의했다. 아이들이 나이가 들면서 그들도 이 대화 시간에 참여토록 했다. 우리는 이렇게 하는 것이 모두에게 훨씬 더 유익한 한 주가 되게 한다는 것을 알게 되었다.

아내는 또한 3×5 크기의 카드를 이용해서 가사 일과 정원 관리하는 일 몇 가지를 전가족에게 분담시켰다. 그것은 아주 효과가 좋았다. 우리는 그 카드들을 일의 중요도에 따라 먼저 정렬한 다음, 어떤 일을 어느 날에 할지 날짜대로 또 정리를 했다. 그리고는 첫 카드에 적힌 일부터 시작해서 모든 일이 다 끝날 때까지 하나씩 계속해나갔다.

이것을 통해서 우리는 질서 있는 가정 생활을 할 수 있었을 뿐 아니라, 우리 아이들이 자랐을 때 이 카드를 통해서 그들의 할 일을 아주 쉽게 할당할 수 있었다. 아내는 각 청소 항목에 어떤 청소용품을 사용해야 할지도 기록했다. 이런 식으로 하게 되면 우리는 매번 그것을 다시 설명할 필요가 없었다. 해야 할 일을 기록한 이 카드들을 우리가 들고 나가면 딸 아이들은 두려워하기는 했지만(왜냐하면 그날이 바로 청소하는 날이란 것을 의미했기 때문이다) 가족 모두가 일을 빠르고 효율적으로 잘 끝낼 수 있었다.

덧붙이는 말 : 아버지들이여, 아이들에게 정원 일과 집안 청소 돕는 것을 가르치라. 그것을 통해 아이들은 엄청나게 중요한 삶의 기술들을 배우는 것이다. 그 중에서 가장 중요한 것은 좋든 싫든 해야 할 일은 한다는 것이다. 정원사나 가정부를 고용할 정도의 부자일지라도 잔디 깎는 기계와 작업복 그리고 걸레를 꺼내어 아이들을 위한 훈련 시간을 가지라.

9 첫째 날 남성의 일

주님, 저는 오늘 제 마음을 당신의 거룩한 역사에 내어 맡깁니다.
저를 깨끗케 하여주옵소서. 주님, 사랑합니다.
당신의 뜻을 이루기 위해서
제 안에서 계속 역사하여주실 것을 믿습니다.
예수님의 이름으로 기도드립니다. 아멘.

많은 사람들은 자신의 일에 온 정열을 다 바친다. 우리 정체성의 많은 부분은 이 일과 관련하여 자리매김하게 된다. 다른 사람을 만날 때 "당신은 어떤 직업을 가지고 계십니까?"를 의미하는 "무슨 일을 하세요?"란 질문을 당신은 얼마나 자주 하는가? 우리 남성들은 자신들이 가치 있고 목적이 분명한 일을 하고 있다고 여기면서 인정 받음에 대한 강한 욕구를 가지고 있다. 따라서 대부분의 남성들에게 있어서 일은 그런 욕구를 충족시키는 방편이다. 놀랄지 모르겠지만 일은 우리의 네 번째 우선순위다. 첫째가 하나님, 그 다음에 아내, 자녀 그리고 우리의 일이다. 이것은 중요한 부분이므로 지금부터 잘 집중하기 바란다.

하나님은 남성이 가정의 보호자요 공급자가 되도록 창조하셨다. 여성과 결혼할 때 당신은 그녀를 돌보기로 맹세한다. 대부분의 남성들은 본능적으로 이것을 안다. 가장 위대한 세대, 즉 2차 세계대전에서 싸웠던 남성들에게는 이것이 당연한 것이었다. 그러나 오늘날 일부 젊은이들은 공급자의 역할에 있어서 정체성의 혼란을 겪고 있다. 여성 해방 운동으로 인해 남성들은 자신들이 누구인지 그리고 일에 있어서 자기들의 역할은 무엇인지 혼란스러워하고 있다.

자신의 일에 대한 당신의 명예를 내가 조금 회복해주고 싶다. 노동은 마땅히 행할 일이요, 선한 것이며, 하나님이 정하신 것이다.

창세기 2장 15절을 읽으라. 타락 이전에 아담은 하나님의 주권 아래 땅을 다스리고 지키며 돌보는 임무를 부여받았다. 따라서 태초부터 남성은 일하도록 지음받은 것이다. 그의 일은 자신과 하나님께 기쁨이 되었다.

그러나 남성이 아내에게 가정을 위해 함께 맞벌이를 하자고 요청한다면 이것이 그릇된 일인가? 그런 경우 아내가 일하러 가는 동안 아이들을 다른 사람에게 맡겨야 할 것인가? 일하는 아내의 문제는 민감한 사안일 수 있다. 특히 어린 자녀들을 둔 부부에게는 그렇다. 골로새서 3장 18절에서 바울은 아내들로 하여금 남편에게 복종할 것을 명하며, '이는 주 안에서 마땅하니라' 고 말한다. 가정의 영적 지도자인 남성들이여, 우리의 아내들은 이 중요한 의사 결정에서 우리가 자신들을 잘 인도해주리라 믿고 있다.

고려해야 할 문제들

1. 나는 아내가 바깥일을 하기를 원하는가? (만약 그렇다면) 그 이유는 무엇인가? 또 아내가 어디에서 일하기를 원하는가? (그렇지 않다면) 아내가 집에 있는 동안 어떻게 시간을 보냈으면 하는가?

2. 아내가 일을 나간다면 혹은 일하기를 자원한다면 그녀의 업무 시간 동안 아내에 대한 나의 권위를 그녀의 사장에게 위임할 준비가 되어 있는가?

3. 나는 아내가 일을 다녔으면 하는데 아내가 반대한다면 어떻게 해야 하는가?

잠언 14장 1절, 고린도후서 9장 8절, 에베소서 5장 22-33절, 빌립보서 4장 6-7, 19절을 아내와 함께 읽고 함께 기도하면서 이 중대한 문제를 함께 결정하라.

좋은 아버지 Tip

직장에서 집으로 돌아오는 시간 동안 가족들을 만날 마음의 준비를 하라. 하루 일과가 너무 힘들어 모든 에너지가 소진된 상태일 수도 있다. 주님이 당신을 붙잡아 강하게 하시며 오직 그분 자신으로 당신을 채워달라고 기도하라. 그래서 당신이 집에 도착했을 때 가족들을 섬길 준비가 되도록 도와주실 것을 간구하라. 그분 앞에서 고요하고 잠잠하라. 라디오나 CD를 모두 끄고 그분께 귀를 기울이라.

둘째 날 9 남성의 일에 대한 테스트

기도로 **시작**하기

주님, 이번 주는 일에 대한 제 마음을 점검하옵소서.
당신 앞에 무릎 꿇고
당신의 음성을 들으며 순종하기 원합니다.
예수님의 이름으로 기도드립니다. 아멘.

네 가지 영역 테스트

- 내가 하는 일은 무엇인가? 그 일은 옳은 것인가?

- 내가 일하는 이유는 무엇인가? (주의 이름으로 그 일을 하고 있는가?)

- 권위에 순종할 수 있는가?

- 내가 하는 일이 사역의 기회가 되는가?

첫 번째 테스트 : 내가 하는 일은 무엇인가? 그 일은 옳은 것인가?

"내가 하는 일은 무엇인가? 나는 왜 이 직업을 선택했는가?"라는 생각을 해보지 않은 채 직장을 갖거나 일을 시작하기가 쉽다.

시편 139편 13-18절을 읽으라.

하나님은 당신에게 계획하신 일을 완수하시기 위해 당신을 특별하게 지으셨다. 당신에게 어떤 일을 잘할 수 있는 재능도 주셨다. 그러나 우리들 각자는 서로 다른 재능을 부여받았다. 우리는 모두 다 설교자가 될 필요가 없다. 우리는 각자 하나님이 우리에게 특별하게 계획하신 일을 할 능력을 소유하고 있다.

예레미야 29장 11절을 읽으라.

하나님은 우리를 향한 놀라운 계획을 갖고 계시다. 당신이 전심으로 하나님을 찾고 그 계획을 발견하여 그 안에서 일하면 그것이 당신의 일을 포함해서 당신이 가진 모든 소망과 열망을 만족시켜줄 것이다.

당신이 직업을 구할 때 당신을 향한 하나님의 계획을 무시하고 단지 월급이나 여러 혜택들 혹은 외형적인 과시를 기준으로 했다면 설령 그것이 높은 급여를 주는 직업이라 하더라도 결국은 만족스럽지 못할 것이다. 나는 현재 당신의 일을 우리가 공부해온 우선순위에 맞춰 비교 평가해보기를 바란다.

제 1 우선순위 : 하나님

당신이 현재 하고 있는 일은 당신의 제1 우선순위인 하나님과의 관계를 유지하는 데 도움이 되는가? 하나님과의 개인적인 친밀한 교제의 시간을 가질 수 있는가?

제 2 우선 순위 : 아내

당신이 현재 하고 있는 일은 당신의 두 번째 우선순위인 아내와의 관계를 유지하는 데 도움이 되는가? 당신의 일은 아내에게 어떻게 영향을 미치는가? 당신의 결혼 생활을 가꾸어나갈 여유를 주는가?

제 3 우선순위 : 자녀들

당신의 현재 일은 당신 인생의 세 번째 우선순위인 자녀들과의 관계를 유지하는 데 도움이 되는가? 당신은 자녀들의 나이에 맞게 적절히 관계를 맺고 있는가? 당신은 자녀들이 올바로 성장할 수 있도록 자녀들과 같이 지내고 잘 놀아주는가?

좋은 아버지 Tip

일 년에 한 차례 지난 한 해 동안 하나님이 당신 가정을 통하여 성취하신 것을 점검해보라. 당신의 영적 포트폴리오가 가벼운가 무거운가? 나는 매년 첫째 날, 이것을 위한 시간을 갖는다. 이것을 통해 정말 놀라운 사실들을 볼 수 있었다.

셋째 날 일을 하는 동기

아버지, 제 모든 필요를 채워주셔서 감사합니다. 제 마음을 정결케 하사
필요와 욕망의 차이를 알게 하여주옵소서. 한편으로는 지나친 탐욕을 즐기고
다른 한편으로는 그것을 쌓아가는 저를 용서하여주옵소서.
제가 당신의 음성을 듣고 그것을 이해할 수 있는 방식으로 말씀하여주옵소서.
제 모든 인생을 예수님의 이름으로 살고 싶습니다.
예수님의 이름으로 기도드립니다. 아멘.

두 번째 테스트 : 내가 일하는 이유는 무엇인가?(주의 이름으로 그 일
을 하고 있는가?)

일에 대한 두 번째 테스트는 골로새서 3장 17절과 23절에서 볼 수 있다.
이 테스트는 우리에게 다음과 같은 질문을 한다. "왜 우리는 매일 일하며 나는
누구를 기쁘게 하려고 하는가?"

이 두 절 말씀을 통하여 나는 다른 사람을 기쁘게 하려고 이 일을 하는 것
이 아니라 주님을 위하여 그리고 그분의 이름으로 일한다는 것을 나 자신에게
끊임없이 상기시키고 있다. 나는 이렇게 기도한다. "주님, 오늘 저는 당신을

위해서, 당신을 기쁘시게 하려고 그리고 당신을 영화롭게 하는 방법으로 일하기를 원합니다. 저의 고용주가 저를 인정하든 그렇지 않든 저는 당신을 기쁘시게 하기 위하여 지금 이 자리에 있습니다."

예수님의 이름으로 무엇을 한다는 것은 그분의 인격과 그분의 성실을 따라 일하는 것을 의미한다. 당신이 하는 일과 행위가 이 테스트를 통과할 수 있겠는가? 만약 예수님이 이땅에 계시다면 당신이 하는 방식대로 일하시겠는가?

고린도전서 3장 10-15절, 4장 5절을 읽으라. 13절에는 '각각 공력이 나타날 터인데…' 라고 기록되어 있다. 그러므로 마음의 뜻, 즉 각 사람의 공력이 어떠한지가 불로써 드러나게 될 것이다.

당신이 예수님을 믿는다면 당신 인생의 터는 예수님이다. 당신이 보내는 하루하루가 그 터 위에 쌓이고 있다. 만일 당신이 나무, 풀, 짚단 같은 것으로 집을 짓는다면 그것은 곧 연기로 사라져버릴 일시적인 땅의 것들을 위하여 당신의 수고를 다하는 것이라 할 수 있다. 그러나 당신의 직업이 당신 존재의 중심이 되지 않고, 당신의 소유가 당신 마음의 보물이 되지 않는다면 땅의 그 어떤 시련도 당신의 가장 고귀한 것을 앗아가지 못한다.

솔직히 우리는 더 많은 일을 하고 더 많은 것을 소유하려는 유혹을 받는다. 왜냐하면 하나님은 우리가 원하고 우리에게 익숙한 삶의 방식을 주실 것이라는 믿음을 갖지 않기 때문이다. 하나님이 원하시기만 하면 무엇이든 우리에게 주실 수 있다는 믿음을 갖지 못하고 우리는 우리가 바라는 삶의 방식대로 먼저 결정해버리고 난 다음, 그 일에 대해 우리를 축복해달라고 하나님께 요청한다.

마태복음 6장 24-34절을 읽으라. 그 구절들에서 언급된 염려를 일으키는 요인들을 찾아보라. 하나님의 공급을 믿는 예로써 자연에서 우리가 관찰할 수 있는 것들은 무엇이 있는가? 이 말씀에서 당신의 사고 방식을 바꾸게 한 교훈은 무엇인가? 빌립보서 4장 19절을 읽으라.

이 말씀들을 통해서 우리가 분명히 알 수 있는 것은 우리는 생계를 위해서 일하지 않는다는 것이다. 우리의 필요를 채우시는 분은 하나님이시기 때문이다. 비록 나는 회사를 위해서 일하고 있지만 궁극적으로 회사가 내게 지불하는 임금을 공급하시는 분은 하나님이시다. 실제로 이 개념을 이해하고 믿게 되었을 때 나는 일에 대한 나의 여러 생각들로부터 자유로울 수 있었다. 나는 당신 또한 그렇게 되기를 기도한다.

좋은 아버지 Tip

자녀들에게 학업과 바깥일을 할 때는 마음을 다하여 그리고 주를 위해 해야 함을 가르치라. 노동은 선한 것이며 하나님이 주신 선물로서 우리는 우리가 하는 모든 일에서 그분을 영화롭게 해야 한다. 자녀들에게 일하는 습관을 잘 익혀주는 것은 쉽지 않지만 부모가 져야 할 가장 중요한 책임 가운데 하나다.

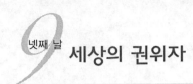

세상의 권위자

넷째 날

기도로 **시작**하기

> 주님, 제 삶에 대한 당신의 주권을 인정하며 당신 앞에 겸손히 머리 숙입니다.
> 또한 저는 세상에 있는 저의 상사들에게도 저를 낮추며 그들의 위치를 존중합니다.
> 때때로 저의 마음은 종이 되는 것을 거부하며 반역을 합니다.
> 주님, 저를 변화시켜주시고 제 마음을 새롭게 함으로 새 사람이 되게 하여주옵소서.
> 이 일은 제 스스로는 할 수 없습니다. 그러나 저는 당신이 저를 위하여
> 제 안에서 그리고 저를 통하여 이 일을 해주실 것을 간구합니다.
> 예수님의 이름으로 기도드립니다. 아멘.

세 번째 테스트 : 권위에 순종할 수 있는가?

골로새서 3장 22절, 4장 6절을 읽고 당신의 일에 대한 세 번째 테스트를 찾아보라. 당신의 일과 행위가 첫 두 가지 테스트를 잘 통과했다면 이제 세 번째 테스트가 당신을 기다리고 있다. 당신은 회사 상관의 권위에 순종할 수 있는가?

당신이 직장에서 일을 하기로 하고 책임을 맡게 된다면 그것은 당신이 위의 상관들에게 복종하기로 동의하는 것이다. 성경에서 묘사된 주인과 노예의 관계는 직장의 상사와 부하 직원의 관계와 같다. 당신은 직업을 갖기 전에 이

런 관계에 복종한다는 것이 무엇을 의미하는지 잘 숙고해보아야 한다.

골로새서 4장 1, 5-6절에 따르면 '상전' 이 그의 모든 일꾼에게 베풀어야 할 네 가지는 무엇인가? 또 그 이유는 무엇인가? 혹 당신이 권위의 자리에 있다면 권위 아래 있는 사람에게 책임이 크다. 당신은 의와 공평을 베풀고 지혜로 행할 특권을 갖고 아래에 있는 사람들에게 증거가 되는 기회를 최대한 만들 수 있도록 은혜가 충만한 말을 하라.

당신은 큰 회사의 회장일 수도 있고, 집에서 여러 사람들을 부리며 살고 있을 수 있으며, 또는 한 팀의 동료들을 직접 지휘하는 위치에 있을 수도 있다. 그러나 어떤 경우에도 당신은 예수님의 삶을 실천함으로써 당신 아래에 있는 사람들에게 하나님의 은혜를 보여줄 기회를 가지고 있다고 할 수 있다. 그 기회를 놓치지 말라.

에베소서 6장 5-9절을 읽으라. 일꾼들은 상전에게 어떤 태도를 가져야 하는가? 당신의 일하는 방식을 변화시킬 필요가 있는가?

디모데전서 6장 1-2절을 읽으라. 당신은 상사들을 어떻게 여겨야 하는가? 믿는 상사라면 어떻게 그를 대해야 하는가? 이것이 당신의 교회 활동에 어떻게 영향을 미치는가?

디도서 2장 9-10절을 읽으라. 당신이 직장에서 해서는 안 될 일은 무엇인가? 당신이 일하는 것을 보면 당신이 하나님과 어떤 관계를 유지하고 있는지 알 수 있는가?

우리는 상사가 보지 않을 때라도 근면하고 성실하게 일해야 한다. 상사가 거칠고 까다로운 사람일지라도 당신은 무조건적으로 그를 사랑해야 하며, 당신의 인생에 대한 하나님의 계획에 따라 그분이 모든 문제를 해결해주실 것을 믿어야 한다. 이것은 정말 버거운 주문이다.

좋은 아버지 Tip

여러 해 전에 나는 요구도 많고 무례하며 또 성미도 급한 사람 밑에서 일한 경험이 있다. 정말 나는 참담했다. 그러나 나는 이것이 나를 위한 테스트라고 생각했다. 마태복음 5장 44절은 내게 이렇게 말하고 있었다. "너희 원수를 사랑하며 너희를 핍박하는 자를 위하여 기도하라." 나는 그를 위하여 기도하기 시작했고, 곧 나는 그에 대하여 더 좋은 감정을 갖기 시작했다. 여러 개월이 지난 후에 나는 그와 잘 지내는 사이가 되었고, 내 일을 긍정적으로 보게 되었을 뿐만 아니라 오히려 즐기게 되었다.

비록 그가 친절한 사람은 아니었지만 나는 그 사람을 나의 문젯거리로 보지 않고 주의 사랑을 보여줄 수 있는 기회로 여기기 시작했다. 하나님은 그 순종을 축복하셔서 직장에서 화평을 허락하셨다. 나는 그 이후 곧바로 직장을 옮겼으나 그것은 내가 그 상사를 싫어해서가 아니었다.

9 다섯째 날 직장 사역

• • • • •
기도로 **시작**하기

주 예수님, 제 안에 있는 자기 사랑과 자기 탐닉을 제하여주옵시고,
당신의 종의 모습으로 저를 채워주옵소서. 제 자신을 당신의 심장에,
당신의 포도나무 줄기에 그리고 당신의 뜻에 맵니다. 제 마음을 가르치셔서
당신을 더욱 사랑하게 하시고, 다른 사람을 섬김으로써 그 사랑을 증명하게 하옵소서.
예수님의 이름으로 기도드립니다. 아멘.

네 번째 테스트 : 사역의 기회

마태복음 20장 26-28절을 읽으라.

당신이 직장에서 출세하기를 원한다면 어떻게 해야 하는가? 직장에서 으뜸이 되고자 한다면 또 어떻게 해야 하는가? 28절의 핵심 단어는 무엇인가?

예수님의 가르침은 사회에서 당신이 듣는 것과는 전혀 반대다. 우리가 성공하고자 한다면 섬기라고 예수님은 말씀하신다. "너희 중에 누구든지 으뜸이 되고자 하는 자는 너희 종이 되어야 하리라."

요한복음 13장 3-5, 12-16절을 읽으라. 발을 씻는 행위는 무엇을 상징하

는가?

예수님은 종이 해야 하는 가장 비천한 일을 하셨다. 그분은 제자들의 더러운 발을 잡고 한 명씩 손수 먼지를 씻으시고는 수건으로 정성껏 닦으셨다. 그분은 육신적으로뿐만 아니라 상징적으로 먼지를 씻어내시고, 제자들을 깨끗케 하신 것이다. 그것은 자신을 낮추는 것을 의미한다.

직장 생활에서 때로는 당신의 격에 맞지 않는 일을 하라는 요청을 받게 될 것이다. 당신은 선택을 해야만 한다. 당신은 종처럼 자신을 낮출 것인가? 아니면 벌떡 일어나 당신의 권리를 주장할 것인가?

직장 생활 가운데 이런 부분에서 어떤 문제에 부딪힌 적이 있는가? 직장 동료들이 당신에게 종의 마음을 가졌다고 말하겠는가? 당신은 종이 될 수 있겠는가? 당신은 함께 일하는 사람들을 어떻게 섬길 수 있는가?

오늘날 서구 문화권에 있는 사람들에게서 종의 마음을 발견하기란 어렵다. 그러나 우리 부부는 그동안 아시아에서 살아왔기 때문에 섬기는 자들이 그들의 고용주를 기쁘게 하기를 좋아하고 매일 오랜 시간 동안 부지런히 일하며 섬기는 모습을 보아왔다. 우리는 자신의 생명을 바쳐 다른 사람을 섬기는 의미를 완전히 새롭게 배우고 있는 중이다.

하나님이 당신에게 주신 직장은 당신이 예수 그리스도를 드러낼 수 있는 환경이 된다. 당신이 종의 마음을 가지고 있다면 그것은 직장 내의 믿는 사람들과 믿지 않는 사람들의 삶에 영향을 미칠 수 있다.

사무실에서 누구를 위해 기도해야 할지, 누구를 위해 인생의 상담자와 안내자가 되어주어야 할지, 혹은 누구에게 도움을 주어야 할지, 아니면 그냥 친절한 말 한 마디를 건네야 할지 그 사람을 당신에게 보여주시도록 주님께 구하라. 우리는 직장에서 우리의 대부분의 시간을 보내는 동안 예수님을 섬기고 그분을 드러낼 수 있는 기회들을 수없이 많이 갖게 된다. 나는 당신과 나를 위해 이런 기도를 드리고 싶다. "주님, 직장에서 종의 영을 가지고 저희 주변의 사람들에게 당신의 생명을 나누어주는 방법들을 찾게 도와주옵소서."

좋은 아버지 Tip

하나님은 언제나 직장에서 정기적으로 함께 모임을 가질 수 있는 몇 명의 신자들을 내 인생에 보내주셨다. 우리는 보통 점심 시간에 모여서 성경 공부나 기독교 서적을 읽고 나누는 시간을 갖거나, 아니면 그냥 우리 삶 가운데서 일어나는 일들을 서로 나눈다. 그리고 언제나 기도의 시간을 조금씩 갖고 각자가 그의 기도 제목과 근심거리를 나눈다. 우리가 모이는 이 시간은 정말 권세가 있다.

안식일 학습

주 예수님, 제 가족들을 당신의 길에 세워주옵소서.
당신의 귀한 이름으로 기도드립니다. 아멘.

필요와 욕구의 차이에 대해서 이야기해보자. 당신의 필요는 굶주리지 않고 충분히 먹을 수 있는 건강한 음식과 당신의 맨몸을 가릴 간단한 의복 몇 벌이다. 좋은 이웃과 함께 살면 좋겠지만, 당신이 정말 필요로 하는 것은 비바람을 막을 수 있는 조그만 안식처면 족하다.

당신의 아내는 가족의 필요를 만족시키기 위해서 일하는가, 아니면 욕구를 만족시키기 위해서 일하는가? 당신의 가족이 기본적인 생활을 하기 위해서 돈이 필요하고, 당신의 가족에 대한 하나님의 뜻과 일치하는 재정 목표를 가지고 있는 것에 대해서 부부가 동일한 마음을 가지고 있다면 당신의 아내가 바깥일을 하는 것은 합리적이다. 그러나 이런 경우가 아니라면 나는 당신에게 아내의 일에 대해서 다시 생각해보고 열심히 기도해보기를 권한다.

코넬 대학교의 인간 개발학 교수 우리에 브론펜브레너(Urie Bronfenbrenner) 박사는 이렇게 주장한다. "모든 어린아이는 그에게 무조건적인 헌신을 해줄 누군가를 필요로 한다. 그 아이는 오후 5시가 되어도 가방을 싸고 퇴근해버리지 않을 누군가를 필요로 한다. 그의 보호자는 다른 누구의 아이들보다도 그 아이를 더 사랑해주어야 한다. 그리고 그 아이는 그 사랑에 보답해야 한다. 모든 아이들은 오직 자신만을 위해주는 누군가와 많은 시간을 함께 보내야 한다. 그리고 그 누군가는 아마도 엄마일 것이다."[1]

우리 가정 이야기

세 자녀를 가진 아버지의 입장에서 나는 당신이 가족을 부양하는 데 있어 재정적인 어려움이 있을 수 있다고 생각한다. 많은 남편들처럼 나 역시 아내가 일을 해서 가계에 보탬이 되기를 원했다. 그리고 우리에게는 아이들이 나이가 좀 들었을 때 아내가 일할 수 있는 적절한 기회가 있었다. 그러나 고백하건대 나는 아내가 버는 여분의 수입에만 익숙해져서 그것이 우리 가정에 초래하는 비용을 미처 깨닫지 못했다

여러 해 전, 우리 아이들이 모두 학교에 들어간 후에 아내는 일하러 나가는 엄마가 되었다. 5년 동안 아내는 우리 아이들이 다니던 사립 기독교 학교에서 교사를 지냈다. 아내가 일을 시작했을 때 아이들은 초등학교와 중학교에 다니고 있었다. 아내는 매일 아이들을 데리고 학교에 출근했다.

그 당시 아내와 나는 아이들의 사립학교 등록금 마련에 보탬이 되도록 아내가 일을 해야 한다고 생각했다. 그곳은 일하기 좋은 환경이었고, 우리 아이들은 온종일 필요할 때마다 엄마에게 갈 수 있었다. 그래서 아이들은 그런 환경을 잘 이용했다.

그러나 아내는 학교에서 매일 기진맥진해서 돌아왔기 때문에 피로를 회복

하는 데 주말의 시간으로는 결코 충분치 않았다. 우리는 정말 인정하지 않을 래야 않을 수 없는 경험, 즉 오후 5시 냉동 치킨 타임 한 번 그후엔 모두 쫄쫄 굶는 일을 자주 겪어야 했다. 아내가 일을 시작하면서 우리 집은 완전히 엉망 진창이 되어버렸다.

아내가 일을 한 지 5년째 되는 2월에 나는 직장을 잃었다. 다니던 석유 회 사가 구조 조정을 해서 내가 근무하던 부서가 사라져버렸다. 우리는 하나님이 우리에게 무엇을 원하시는지를 놓고 기도하기 시작했다. 하나님이 즉시 우리 두 사람에게 따로따로 감화로 말씀해주신 것은 아내가 직장을 그만두고 집에 있어야 한다는 것이었다. 우리는 뭔가 잘못 들은 것이 틀림없다고 생각했다. 누군가는 직업을 가져야만 했기 때문이었다.

그 당시 우리 아이들 셋은 각각 초등학생, 중학생, 고등학생이었고 모두 비싼 등록금을 내는 사립 학교에 다니고 있었다. 우리 부부는 극도의 스트레 스를 받았다. 아내가 직장을 그만둔다면 어떻게 우리 아이들을 기독교 학교에 계속 다니게 할 수 있을까? 그러나 하나님은 분명히 우리 부부에게 아내가 집 에 있으면서 아이들을 돌보아야 한다는 마음을 주셨다. 가족 모두가 여기에 동의했다. 아이들이 아직 아기였을 때 그랬던 것처럼 우리는 모두 아내가 집 에 있어주기를 간절히 바랐다.

그 믿음의 단계는 우리 삶의 전환점이 되었다. 아내가 온종일 집에 있게 되자 우리 집안의 환경은 즉시 달라졌다. 갑자기 모든 것이 평화로워졌고 질 서가 잡혔다. 아내는 집에서 직접 요리한 건강한 음식을 제공했을 뿐만 아니 라 아이들의 갖가지 심부름을 다 들어주었다. 그러나 한편으로 나는 우리 살 림이 어려워질 것을 무척 염려하고 있었다.

당연히 우리는 긴축 재정을 해야 했으며, 일부 생활에 변화를 주었다. 하지만 그것은 충분히 그럴 만한 가치가 있었다. 아내가 집에 있음으로 인해 얻는 가치는 아내가 버는 돈의 가치보다 훨씬 더 크다는 것을 알게 되었다. 우리의 재정과 하나님이 우리를 채워주신다는 믿음에 있어서 하나님은 우리 두 사람의 마음속에 큰 역사를 계속 행하고 계셨다. 우리는 믿음으로 우리 아이들을 기독교 학교에 일 년 더 등록시켰고, 하나님은 우리의 모든 필요를 다 채워주셨다. 내가 해고된 지 8주 만에 하나님은 내게 다른 일을 주셨는데 우리 아이들 학교 근처의 한 그리스도인 사업가가 운영하는 회사에서 근무하게 되었다.

아버지들이여, 나는 당신의 상황을 잘 모른다. 당신이 직면한 일이나 재정상의 어려움도 잘 알지 못한다. 그러나 분명한 것은 하나님은 당신의 호흡보다 더 가까이 계시다는 것이다. 하나님은 당신보다 당신의 필요를 더 잘 아신다. 하나님은 당신이 원하는 것보다 더 많은 것을 당신을 위하여 원하고 계신다.

아내가 바깥일을 하고 있는데 그것이 자녀들에게 옳은 것인지 의심된다면 주님께 여쭈어보라. 아내가 전업 주부로서 집안을 먼지 하나 없이 깨끗이 청소하고, 바쁜 유치원생들을 돌보며, 또 자원해서 여러 일들을 하느라 정신이 없다면 하나님 아버지께 정직하게 여쭈어보라 이것이 진정 가정을 위한 일인지 아니면 가정에 해가 되는 일인지를. 주님이 집 안에 있는 당신의 아내에게 바라시는 것이 무엇인지 함께 알아보라.

이번 주에 공부한 테스트들을 이용하여 하나님이 일에 대하여 당신과 당신의 이내에게 밀씀하시는 바가 무엇인지를 파악하라. 잠잠히 고요한 시간을 가지고 하나님이 하시는 말씀에 귀 기울이라. 마음을 열고 하나님께 정직하라. 아내와 그 문제를 함께 토론하고 기도하라. 당신의 계획을 그분의 손에 맡기라. 주권자는 하나님이시다.

주 예수님, 제가 하는 일이 제 인생과 가족을 향한 당신의 완전한 계획에 합한 것이기를 원합니다. 그리고 주님, 제 아내가 일하는 문제를 놓고 당신의 얼굴을 구할 때 저희에게 지혜를 허락하여주옵소서. 당신의 뜻과 저희의 뜻이 온전히 일치하기를 원합니다. 예수님의 이름으로 기도드립니다. 아멘.

좋은 아버지 Tip

아내가 바깥일을 해야 하는지의 문제를 아내와 함께 고민하기 위해서는 누구의 방해도 받지 않는 많은 시간이 필요하다. 적어도 하루 이틀 밤 아이들을 돌봐줄 사람이 있는지 알아보라. 그런 사람이 있다면 이 문제를 결정하는 데 필요한 모든 요인들을 충분히 검토할 수 있도록 가까운 휴양지로 떠나라. 그리고 상대방의 말에 정성껏 귀 기울이라.

기도 제목

개인적으로 이 책을 공부하고 있다면 당신과 가족들의 기도 제목을 적으라. 만일 그룹으로 이 책을 공부하고 있다면 기도 시간을 절약하기 위해 5-6명 정도의 소기도 모임으로 나누라. 이번 주 동안 집에서 잊지 않고 기도할 수 있도록 다음에 기도 제목을 기록하라.

10

아버지와 세상과의 관계 II

섬기는 마음 갖기

집안을 정리한 다음에 다른 사람들을 섬기는 데 시간을 조금 낼 수 있는가?

그것이 교회의 모든 활동에 다 참여해야 한다는 것을 의미하는가?

아니면 재미있는 시간을 좀더 보낼 것인가?

주님을 섬기는 일을 어디에서부터 시작해야 하는지 어떻게 알 수 있는가?

이 질문에 대한 답과 그 이상의 것들을 이번 주의 섬김에 관한 공부에서 발견할 수 있다.

사역을 위한 조언들

이번 주의 공부에서 배운 교훈을 제대로 실천하기 위해서 우리는 하나님이 우리에게 그분 나라의 일을 맡기실 때 잘 준비된 자로 겸비되어 있어야 한다. 때로 그 일은 사무실에서 누군가를 상담하는 단순한 일일 수도 있다. 또는 누군가를 병문안하는 일일 수도 있다.

당신이 다른 사람들을 섬기는 과정에서 기뻤던 순간들과 힘들었던 순간들을 열거해보라.

가족의 죽음을 경험한 사람을 위해서 당신은 무엇을 할 수 있는가?

혹은 오랫 동안 병석에 누워 있는 사람을 위해서는 무엇을 할 수 있는가?

당신이 직장에서 다른 사람을 섬길 수 있는 방법에는 무엇이 있는가?

다른 사람들과 함께 기뻐할 수 있는 멋진 순간들은 그들이 승진했을 때나, 생일을 맞이했을 때, 혹은 결혼했을 때다. 한편 가족들에게 가장 힘든 순간은 가족의 죽음이나 이혼, 입원 그리고 실직했을 때다.

당신은 또한 정기적으로 당신에게 서비스를 제공하는 사람들을 섬기는 일에 대해서 생각해볼 수도 있다. 우편 배달부나 청소부, 주유소 직원, 식료품 가게 점원 혹은 버스 운전수의 이름을 아는가? 어떻게 하면 그들에게 예수님의 복음을 전할 수 있을까? 당신의 친절함, 밝음, 정직함 그리고 성실함이 그들로 하여금 당신이 그리스도인이라는 사실을 알게 하는가?

마침내 당신이 어떤 필요를 발견했다면 즉시 기도함으로써 그것이 당신의 사명인지를 하나님께 여쭈어보라. 만약 그렇다면 섬김을 필요로 하는 그 사람과의 접촉점을 찾아보라. 스스로에게 물어보라. "이 사람에게 어떻게 다가갈 수 있을까?"

병문안할 때 해야 할 일과 하지 말아야 할 일을 조금 정리해놓았다.

해야 할 일 : 짧고 힘이 되는 기도를 하라.
　　　　　방문은 짧게 하라.
　　　　　격려의 말을 하라.
　　　　　웃는 얼굴로 대하라.
　　　　　좋은 얘기만 나누라.

하지 말아야 할 일 : 안색이 얼마나 안되어 보이는지를 말하지 말라.
　　　　　다른 누구도 이런 처지에 있다고 말하지 말라.

당신이 가진 문제들을 늘어놓지 말라.

나쁜 소식은 전하지 말라.

너무 오래 머물지 말라.

섬기는 것은 힘든 일이다. 그러나 그것은 단지 열심히 일하는 것과는 다르다. 좀더 자세히 알아보자. 하나님이 당신에게 어떤 임무를 주시면 그 일로 인해 당신은 힘이 들 것이다. 당신의 시간과 에너지가 소모될 것이다. 밤 늦게까지 잠 못들 때도 있을 것이고 이른 새벽에 일어나야 할지도 모른다. 그것은 정말 힘든 일이다. 그러나 그것은 열심히 일하는 것과는 다르다.

아내와 나는 때때로 우리의 테두리 밖의 사역을 맡기도 한다. 우리는 어떤 필요를 발견하고 그것을 채워주기로 결심한다. 그런 경우는 사람을 열심히 일하게 만든다. 하지만 그것은 정말 고역이다. 마귀와 싸워야 하고, 때로는 교회와도 다투고 그리고 세상을 극복하기도 해야 한다. 이 모든 일을 우리의 작은 능력으로 해야만 한다. 이것은 불가능하다. 우리는 실패할 수밖에 없다. 비록 성공하는 것처럼 보일지라도 하나님의 나라를 위해서 남아 있는 열매는 없다. 그것은 가치 없는 일이다. 그런 일을 피하도록 하라.

하나님의 계획은 우리가 그분을 찾고 그분의 생명을 받아서 그분이 명하시는 일을 하고, 또 그분이 보내시는 곳으로 가는 것이다. 그것은 많은 경우 노력이 필요하지 않다. 설령 조금의 수고가 필요할지라도 당신이 주면 줄수록 당신은 그만큼 더 받게 된다. 당신이 더 부어줄수록 당신은 더 채움을 입는다. 이것이 바로 섬김의 원리이다.

첫째 날 섬김을 위한 비전

• • • •   • • • • •
기도로 시작하기

> 주님, 제 주위의 많은 필요들을 볼 수 있는 눈을 허락하옵소서.
> 당신이 보는 사람들을 제가 보게 하여주시고, 그들의 상처와 근심에
> 눈을 돌리게 하옵소서. 제가 감당해야 할 사역의 임무를 보여주시고,
> 당신의 이름으로 다가갈 수 있는 용기로 저를 채워주옵소서.
> 예수님의 이름으로 기도드립니다. 아멘.

세상을 향한 우리의 사역, 이것이 우리의 마지막 주의 주제다. 우리는 여호수아의 삶을 통해서 이 단원의 공부를 시작하게 된다. 이 공부를 함께해나가면서 나는 당신이 사역의 비전을 얻게 되기를 기도한다.

민수기 27장 18절, 신명기 31장 23절, 여호수아 1장 1-9절을 읽으라.

여호수아는 성령이 충만한 자로서 하나님의 일을 위해 택함받았다. 그 일은 무엇이었는가? 주님이 말씀하신 성공의 요건은 무엇인가?(8절) 주님은 여호수아에게 무엇을 약속하셨는가? 하나님은 순종하는 한 종의 삶을 사용하셔서 어떻게 이스라엘 백성을 향한 그분의 역사를 완성하셨는가?

여호수아를 통하여 주님은 이스라엘의 모든 대적으로부터 이스라엘에게

안식을 주셨다(수 23:1). 하나님은 어떻게 당신의 삶을 사용하셔서 당신을 위한 그분의 이야기를 완성하실 수 있는가?

당신은 이런 생각을 해본 적이 있는가? 당신은 하나님 나라의 목적을 위해서 하나님이 어떤 상황에 두신 것이다. 당신이 그리스도인이라면 당신의 인생은 하나님의 백성들을 하나님께로 인도하시는 그분의 놀라운 계획 속에서 분명한 목적을 가지고 있다.

여호수아가 그랬던 것처럼 당신은 위험을 무릅쓰고 순종하겠는가? 누가 알겠는가? 당신이 '이 때를 위하여' 이 상황에 놓여 있었는지를.

당신은 하나님을 섬기는 일에 어떤 모양으로든 은사를 가지고 있다는 것을 아는가? 당신은 가르침의 은사, 섬기는 은사 혹은 행정의 은사 중 어느 것을 가지고 있는가? 교회에서 남과는 다른 방식으로 섬길 마음이 있는가? 자신에게 도대체 섬기고자 하는 마음이 있는지 의심스러운가?

고린도후서 4장 7절과 에베소서 2장 10절을 읽으라.
우리는 예수님의 생명을 담은 질그릇이다. 따라서 예수님은 우리를 통하여 아픈 세상을 섬기고자 하신다. 당신은 어떤 선한 일을 위하여 지음받았는가?

마태복음 23장 25-27절을 읽으라.
예수님은 왜 서기관과 바리새인들을 외식하는 자들이라고 하셨는가? 예수님은 내적인 정결함이 외적인 종교적 수고보다 더 중요하다는 교훈을 가르치시기 위해 어떤 예화를 사용하셨는가? 서기관과 바리새인들에 대한 예수님의 호된 꾸지람은 다른 사람들을 향한 당신의 사역에 어떻게 적용되는가?

우리의 마음이 정결하고 깊은 속까지 깨끗할 때 다른 사람에게 다가가도록 하나님께 쓰임받을 수 있는 준비가 된 것이다.

하나님은 당신을 사용하실 수 있다. 그분께 당신의 생명을 드리고 그분이 행하실 일을 보라.

주 예수님, 당신의 일굴을 보기 원합니다. 오 하나님, 저의 죄를 씻어주옵소서. 당신의 말씀으로 저를 정결케 하시고, 당신의 뜻대로 저를 사용하여주옵소서. 저를 당신께 드립니다. 예수님의 이름으로 기도 드립니다. 아멘.

좋은 아버지 Tip

오늘 하나님이 당신의 삶을 사용하여 역사하고자 하시는 사람들을 보여달라고 간구하라. 당신이 나와 다르지 않다면 다른 사람들의 삶에 관여하는 일은 수고를 요하며 저절로 되지 않는다. 때로는 단지 들어주는 것이 다른 사람들을 섬길 수 있는 최선의 방법이 될 수도 있다. 듣는 것은 흔히 다른 사람들을 위한 기도의 문을 열어주며, 그 기도는 섬기는 행위로 이어질 수 있다.

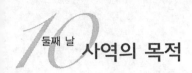
사역의 목적

기도로 **시작**하기

> 오 여호와여, 당신은 저의 아버지십니다.
> 저는 진흙이요 당신은 토기장이시니
> 저를 주의 손으로 지으셨습니다.
> 당신의 뜻대로 저를 조형하여주옵소서.
> 예수님의 이름으로 기도드립니다. 아멘(사 64:8).

예레미야 18장 1-6절을 읽으라.

주님이 사용하시기에 합당한 그릇이 되기 위해서 우리는 먼저 우리 자신을
그분의 손에 맡겨야 한다. 예레미야에게 하나님의 주권을 가르치시기 위해 하
나님은 어떤 예를 보여주셨는가? 진흙과 토기장이의 관계는 어떤 관계인가?

이사야 45장 9절과 64장 8절을 읽으라.

진흙이 토기장이에게 왜 그런 질문들을 했는가?

하나님이 당신 안에서 역사하셔서 그분의 목적을 위하여 당신을 다듬고
빚기 시작하실 때 고통이 따를 수 있다. 진흙은 치고 개는 과정을 통해서 형체
를 띄게 되는 것처럼 하나님 아버지도 당신이 예수님의 형상을 닮도록 누르고

두드리는 일을 시작하실 것이다.

당신의 옛 모양은 깎이고 새로운 모습과 태도로 옷 입어야 할 것이다. 하나님은 당신 안에 역사하셔서 당신의 기도에 응답하고 계신다. 그분께 순종하라. 그분의 뜻대로 일하시게 하라. 설령 그것이 당신을 아프게 할 때라도 말이다.

아내와 나는 우리를 완전히 변화시켜달라는 기도를 시작한 적이 있다. 우리는 이렇게 기도했다. "주님, 당신의 귀한 아들의 형상대로 저를 변화시키고 녹이고 또 조형하는 데 필요한 어떤 것이라도 다 행하시옵소서. 제가 그만 중단해달라고 간청하더라도 멈추지 마소서. 그 일이 고통스러워도 제 안에서 계속 일하시옵소서. 제가 편안해지고 싶은 것 이상으로 당신이 제 안에서 더 영광받으시기를 원합니다. 제가 가진 모든 것과 지금의 저의 모습 전부를 당신께 바칩니다."

나는 그 기도에 아주 극적인 응답을 몇 가지 받았다. 어떤 것은 아주 고통스러웠지만 그만한 가치가 있었다. 나는 예수님과의 관계에서 더 자유하며 걷고 싶다. 그분은 내 안에서 놀라운 변화의 역사를 행하고 계시다. 나는 그것이 멈추지 않기를 바란다.

나는 내가 무엇을 원하는지 안다. 나는 예수님이 내 온 영과 혼 그리고 몸을 마음껏 주장하시기를 원한다. 이땅의 어떤 것도 이것과 견줄 만한 가치가 있는 것은 없다.

로마서 9장 20-24절을 읽으라.

진흙을 사용할 권리는 누구에게 있는가? 22절과 23절에 묘사된 두 종류의 그릇은 어떤 것들인가? 하나님은 언제 진노의 그릇을 예비하셨는가? 또 그분은 언제 긍휼의 그릇을 준비하셨는가?

당신은 고통받는 세상에 긍휼을 쏟아 부을 수 있는 하나님의 자비로운 긍휼의 그릇이다. 하나님은 당신에게 그분 나라의 일을 예비하셨다. 당신은 당신의 재능과 달란트 그리고 성격에 완벽하게 어울리는 특별한 역할을 맡게 될 것이다. 그러나 당신은 선택해야 한다. 하나님 아버지의 계획에 복종할 수도 있고 그렇지 않을 수도 있다. 당신은 그분의 손 안에서 잘 순종하는 부드러운 진흙이 될 수 있다. 하나님이 당신을 그분의 나라의 일에 사용하시도록 허락하겠는가? 당신의 권리를 그분께 양도할 수 있겠는가?

좋은 아버지 Tip

자녀들 가운데 한 명과 둘만의 특별한 시간을 가지라. 그 아이가 하고 싶은 재미있는 일을 하라. 여러 질문들을 해보라. 지금 현재 그의 인생에서 중요한 것이 무엇인지 알아보라. 딸들과는 콜라나 아이스크림 데이트를 해보라. 아들들은 운동 경기장이나 낚시터에 데려가보라. 그날 밤 아이를 침대에 누이고 그를 위해 기도할 때 그 아이는 하나님이 당신에게 주신 선물이요 축복임을 감사하라. 어떻게 하면 그 아이를 하나님이 하시는 것처럼 사랑할 수 있는지를 가르쳐달라고 하나님께 간구하라.

10 _{셋째 날} 사역에 헌신하기

기도로 **시작**하기

주님, 저를 당신이 쓰시기에 합당한 도구로 만들어주옵소서. 제가 당신의 나라의 일을
하도록 준비된 곳으로 저를 인도하시는 데 필요한 일이라면 무엇이든지 하옵소서.
제가 아직 태 가운데 있을 때 저에게 예비하신 충만하고 부요하며
의미 있는 삶을 누리지 못하도록 방해하는 두렵고 그릇된 생각과 태도들로부터
저를 자유케 하여주옵소서. 예수님의 이름으로 기도드립니다. 아멘.

당신이 하나님 나라의 사역을 위한 그분의 그릇이 되기로 헌신했다면 세
상에서 그분의 증인이 되기 위해서 많은 사랑과 능력, 믿음 그리고 거룩함이
필요할 것이다. 당신은 그런 것들을 어떻게 얻을 것인가? 당신이 사람들을 사
랑하고, 그들에게 강력한 영향을 미치며, 하나님이 그들의 삶 속에서 역사하
실 것이란 믿음을 갖기 위해서 그리고 다른 무엇보다 실제적인 면에서 그들에
게 인제나 거룩한 모범이 되기 위해서 당신은 자기 개발 프로그램에 착수해야
할 것인가? 그렇게 해서는 안 된다는 것을 우리는 잘 알고 있다.

요한일서 4장 16장을 읽으라. 이 절에는 하나의 공식이 있다. 그것은 바로
_____ = _____ 라는 등식이다. 이 방정식의 앞 부분은 '하나님'이다.
무엇이 하나님과 똑같은가?

하나님 = 사랑! 하나님은 사랑을 소유하고 계시지 않다. 하나님이 사랑 자체시다. 당신이 무엇인가를 소유하고 있다면 그것은 당신의 일부가 아니다. 그것은 코트처럼 당신이 입고 있는 것이 아니다. 또는 그것은 당신의 주머니 속에 든 것과 같다. 그러나 성경은 하나님은 사랑 그 자체시라고 말하고 있다. 이것이 의미하는 바는 사랑은 당신이 소유한 어떤 것이 아니라 알아야 할 누군가라는 뜻이다.

당신이 사람들을 사랑할 충분한 사랑을 소유한다는 것은 불가능하다. 당신이 가진 사랑은 누군가가 당신을 거역하는 최초의 순간에 바닥나고 말 것이다. 하나님이 사역 팀으로 함께 불러주신 사람들을 사랑하기 어려울 때가 여러 번 있을 것이다. 그리고 능력은 어떤가? 당신은 그분의 이름으로 가르치거나 일할 수 있는 힘을 가지고 있다. 그러나 이내 당신은 지치고 지루해하며 낙심해버린 자신을 발견하게 될 것이다. 그것은 당신의 믿음을 송두리째 흔들어 놓을 수 있다.

개인적인 거룩함은 또 어떤가? 지금 바로 당신 내부를 들여다보더라도 당신은 결코 예수님을 위하여 다른 사람을 섬길 만큼의 거룩함을 가지고 있지 않다는 것을 발견하게 될 것이다. 해결책이 있는가? 비참한 실패자가 될 것임을 뻔히 알면서도 그냥 계속 시도만 해보고 있는가?

예수님을 위해 일하는 우리의 열정에 있어서 자주 간과되는 사역의 핵심 진리가 있다. 그것은 다음과 같다. 예수님만이 온 세계를 품을 수 있는 충분한 사랑을 가지고 계신다.

요한복음 3장 16절, 8장 12절을 읽으라.

예수님만이 깨어진 삶을 변화시킬 능력을 가지고 계신다. 그분만이 홀로 거룩하시다. 우리는 우리 자신의 힘으로 나아가는 것이 아니라 단지 그분의 생명을 담을 그릇으로 부름받았다. 예수님은 그분의 생명을 담는 그릇인 우리를 통해서 자신의 뜻대로 사랑하시고, 또 우리를 통해서 놀라운 기적을 행하시며, 우리를 믿음으로 채우실 뿐만 아니라 우리의 거룩함이 되신다.

요한복음 7장 38절을 읽으라. "나를 믿는 자는 성경에 이름과 같이 그 배에서 생수의 강이 흘러나리라 하시니."

좋은 아버지 Tip

당신의 아이들이 당신의 첫 사역지다. 아이들의 행사 내용을 모두 적은 달력을 하나 만들어 사무실로 가져가라. 모든 행사 내용을 알림 메시지(reminder)를 달아 PDA에 입력하거나, 아니면 당신이 쉽게 볼 수 있는 사무실 벽에 걸어놓으라. 모든 행사에 다 참석한다는 것은 불가능할 것이다. 특히 아이들이 동시에 여러 행사를 갖게 되면 말이다. 그러나 할 수만 있다면 참석해서 아이를 격려하도록 노력하라. 당신이 함께하는 것은 아이에게 아주 중요하다. 또한 그 아이가 실제로 잘했든 못했든 간에 그를 격려하는 것을 잊지 말라. 결과에 상관없이 아이들을 사랑하는 것이 그들의 인생에서 사랑을 형성하는 기초가 된다.

넷째 날 사역에서 아버지의 역할

10

• • • •　• • • • •
기도로　**시작**하기

　　주님, 당신을 찬양합니다.

　　당신은 위대하시며 찬양받기에 합당하십니다.

　　세상을 향한 당신의 무조건적인 사랑으로 저를 채워주옵소서.

　　저를 당신의 생명을 담는 그릇으로 사용하여주옵소서.

　　예수님의 이름으로 기도드립니다. 아멘.

　　수용성은 그릇의 특징이다. 그릇은 어떤 물건을 담는다. 당신은 그릇이고, 당신이 담는 것은 예수님의 생명이다. 예수님은 포도나무와 가지의 가르침을 통해 수용성에 대한 좋은 실례를 보여주셨다.

　　요한복음 15장 1-5절을 읽으라. 가지는 어떻게 열매를 맺는가? 열매를 맺는 가지에 대해서는 농부가 어떻게 하는가? 포도나무를 떠난 가지는 어떻게 되는가?

　　이 구절에서 말씀하고 계시는 분은 예수님이시다. 그분은 자신이 포도나무라고 하신다. 예수님은 가지에 생명을 주는 원천이 되신다. 하나님은 포도밭의 농부가 되셔서 가지치기를 하고 계신다. 그분은 가지들을 깨끗케 하는 가지치기를 하실 때 그분의 말씀을 사용하신다.

그 가지들은 바로 예수님의 구원의 은혜로 포도나무에 접목된 우리 자신들을 가리킨다. 열매는 포도나무의 생명, 즉 이땅에서 그분의 생명을 확장하시려고 가지로 흐르는 예수님의 생명이다. 오직 성령의 열매는 사랑과 희락과 화평과 오래 참음과 자비와 양선과 충성과 온유와 절제다(갈 5:22-23). 바로 이러한 것들이 예수님의 생명의 특징이다.

열매맺는 가지들은 가지치기를 해야 한다. 당신의 사역에서 풍성한 열매를 맺으려면 가지치기의 때가 필요하다. 낡은 생각과 행동의 모양들은 벗어던져야 한다. 그 대신에 당신을 통하여 그분 자신을 드러낼 수 있도록 예수님의 새 생명으로 옷 입어야 한다.

가지가 포도나무를 떠나서는 아무것도 할 수 없다. 그 가지는 예수님의 생명을 담는 그릇이 되어야 한다.

마태복음 7장 15-20절을 읽으라. "좋은 나무마다 _____ 열매를 맺고 못된 나무가 _____ 열매를 맺나니." 누군가의 사역이 하나님께로부터 온 것인지, 아니면 스스로 만든 것인지를 어떻게 알 수 있는가?

나무들은 그 안에서 움직이는 생명을 숨길 수 없다. 나무 둥치 내부에서 '떡갈나무의 생명'이 숨쉬고 있다면 도토리가 열린다. 안에 '복숭아의 생명'이 있다면 복숭아가 열릴 것이다. 열매는 줄기를 타고 흐르는 생명의 결과물

일 뿐이다.[1]

당신은 당신 안에 살아 있는 생명을 숨길 수 없다. 당신 안에 당신의 자아가 가득하면 당신에게서 육적인 것이 나올 뿐 영적인 것이 나올 수 없다. 반면 당신이 주 예수님의 생명으로 충만하면 그분의 속성들을 드러내게 되어 있다. 그 다음 당신이 다른 사람들을 섬기게 되는 것은 자연스런 귀결이다. 그리고 그것을 멈출 수 없을 것이다. 그분의 생명이 당신에게서 주변의 다른 상처입은 사람들에게로 흐르게 된다.

좋은 아버지 Tip

자녀 한 명 한 명을 향한 그들 나름의 양육 계획을 세우라. 하나님이 우리 각자의 인생에 대하여 그분의 특별한 계획을 가지고 계신 것처럼 우리 또한 우리 아이들을 각각 다르게 키워야 한다. 아이들은 제각기 특별하다. 당신의 자녀를 잘 관찰하라. 그 아이의 기질과 나이를 고려해 가장 적합한 규칙과 규범들을 맞춤식으로 정하라. 주님께 그 아이만의 독특한 개성에 맞추어 잘 양육하는 법을 가르쳐달라고 기도하라.

다섯째 날 큰 사명

기도로 **시작**하기

주 예수님, 제 삶 속에 계속 역사하셔서 당신의 말씀에서
배운 진리들을 제 마음속 깊이 각인시켜주옵소서.
그래서 제가 그것을 필요로 하는 순간에
저에게 잘 생각나게 하여주옵소서.
예수님의 이름으로 기도드립니다. 아멘.

예수님은 제자들에게 앞으로 해야 할 임무를 주셨다. 마태복음 28장 19-
20절을 읽으라. 우리가 해야 하는 네 가지는 무엇인가? 우리는 어디에서 그
일들을 행해야 하는가? 우리는 어떻게 그것을 성취할 수 있는가? 의사 누가는
예수님이 지상 사역 마지막 날에 하신 말씀을 좀더 자세히 기록하고 있다. 사
도행전 1장 8절을 읽으라. 제자들에게 성령의 능력이 임하여 그들은 권능을
받고 예루살렘과 온 유대와 사마리아와 땅 끝까지 이르러 예수님의 증인이 되
었다.

예수님이 제자들에게 하신 마지막 말씀은 다른 사람들을 섬기라는 것이었
다. 그것은 영화 〈미션 임파서블(Mission Impossible)〉의 한 대사처럼 들린다. 예
수님은 제자들에게 네 가지를 명하셨다.

첫째, 그들은 떠나야 했다. 하나님이 어떤 일을 하도록 당신을 부르실 때 어쩌면 당신은 그분이 하시는 일에 참여하기 위해서 당신이 현재 하고 있는 일을 그만두어야 할지도 모른다.

둘째, 그들은 제자를 삼아야 했다. 제자는 따르는 자다. 다른 사람들을 제자삼을 때 사람들이 당신을 따르도록 해서는 안 된다. 그들이 예수님을 따르도록 도전을 주어야 한다. 만일 그들이 당신을 따른다면 당신의 사역을 점검해볼 필요가 있다. 예수님은 "내가 땅에서 들리면 모든 사람을 내게로 이끌겠노라"고 말씀하셨다. 예수님을 높이라. 그러면 그분이 모든 제자들을 자신에게로 이끌어오실 것이다.

셋째, 그들은 예수님의 이름으로 세례를 주어야 했다. 당신은 사람들이 '세례를 받도록', 즉 아버지와 아들과 성령의 인격과 생명 안에 잠기도록 인도해야 한다. 사람이 하나님의 생명으로 세례를 받을 때 그의 인격이 변화된다.

넷째, 우리는 예수님의 모든 명령을 가르쳐야 한다. 예수님이 하신 모든 명령은 우리의 커리큘럼이다. 그분이 가르치신 것을 기억하는가? "네 마음을 다하고 목숨을 다하고 힘을 다하여 주 너의 하나님을 사랑하라 네 이웃을 네 몸과 같이 사랑하라." 이 명령들은 예수님이 분부하신 두 가지 큰 계명이다. 이것이 바로 우리가 접촉하는 모든 사람들에게 가르쳐야 하는 것이다.

이 책을 읽는 사람 중에는 이웃 사이의 작은 소그룹을 섬기도록 부름받을 사람들도 있을 것이다. 어쩌면 당신은 일주일에 한 번 회사에서 점심 시간을 이용하여 성경 공부를 시작해야겠다는 마음의 찔림을 받았는지도 모른다. 또 어떤 이들은 아내와 함께 외국에 나가서 복음을 전하라는 부르심을 받을 사람도 있을 것이다. 당신의 인생에 대한 하나님의 소명이 무엇인지 나는 잘 모르지만 분명한 것은 그분은 당신이 완수해야 할 사명을 예비하고 계시다는 사실이다.

당신이 이 책을 공부하는 동안 줄곧 나는 당신을 위해 기도해왔다. 이제 이 축복의 말씀으로 우리의 시간을 마치고자 한다.

"여호와는 네게 복을 주시고 너를 지키시기를 원하며 여호와는 그 얼굴로 네게 비취사 은혜 베푸시기를 원하며 여호와는 그 얼굴을 네게로 향하여 드사 평강 주시기를 원하노라"(민 6:24-26).

좋은 아버지 Tip

• 당신이 출근할 때 매일 아내와 아이들에게 잘 다녀오겠다는 키스를 하라.
• 아내와의 시간은 저녁 식사 전, 후에 따로 정하라. 저녁 시간은 온 가족이 대화하는 시간이다.
• 하루를 마감할 때는 다같이 손을 잡고 기도하라.

안식일 학습

지혜로운 남성

첫째 주 공부 시간에 읽은 지혜로운 남성의 삶을 다시 살펴보도록 하자. 그 이후 당신은 어떤 새로운 지혜를 얻었는가?

시편 1편과 예레미야 17장 7-8절을 읽으라.

지혜로운 남성은 자신의 삶과 사역을 어떻게 준비했는가? 다른 사람들의 삶 가운데서 열매를 맺기 위해서 그는 영양분을 어디로부터 공급받는가? 그의 '잎사귀가 마르지 아니하는' 이유는 무엇인가?

창세기 39장 3절을 읽으라. 시편과 예레미야 그리고 창세기의 말씀들을 근거로 할 때 형통한 삶의 정의는 무엇인가?

어떤 이들은 인생의 의미와 목적을 찾기 위해 평생을 헤맨다. 나는 당신이 지난 10주간의 공부를 통해서 인생의 목적은 바로 당신의 사역 속으로 이어지는 관계와 일에 성경적인 지혜를 적용해나갈 때 발견할 수 있다는 것을 깨달

앉기 바란다.

카도 국제 선교회(Kardo International Ministries)

오늘 마지막 날, 나는 우리를 사역의 길로 인도하신 하나님의 선하신 계획에 대한 우리의 이야기를 함께 나눠보고자 한다. 우리는 위대하신 하나님과 함께하는 보통 사람들이다.

1981년 우리가 이 사역을 시작했을 때 아내와 나는 아내가 첫 마더와이즈(MotherWise) 모임 [그 당시 우리는 이것을 '수퍼맘(SuperMom)'이라 불렀다]에 참석하는 다섯 여성들을 가르치는 것 그 이상의 비전은 없었다. 점점 더 많은 사람들이 아내가 인도하는 성경 공부와 기도 시간에 참여하여 그들의 자녀 양육 방법을 연마하기 시작하면서 아내의 비전은 이웃 도시의 여성들을 몇 개 그룹으로 만들 수 있을지도 모른다는 생각으로 커지기 시작했다. 몇 해가 지난 후에 나는 아내가 미국 전역의 여성들을 섬기게 되기를 그녀와 함께 기도하고 꿈꾸기 시작했다. 불가능한 듯이 보였지만 우리는 가끔 그 꿈에 대해서 기도했다.

2000년에 나는 첫 파더와이즈(FatherWise) 성경 공부 교재 「아버지들의 자유(Freedom for Fathers)」를 출간했고 하나님은 이 사역을 계속 확대시켜나가셨다. 우리는 '가지치기'의 아픔도 경험했다. 그런 시련기에는 사역을 거의 포기하고 싶었다. 그러나 하나님의 은혜로 우리의 길을 계속 갈 수 있었다.

같은 해, 하나님은 우리가 하는 모든 일을 뒷받침해줄 중보 기도 네트워크를 조직하기 위한 '기도 담당자'를 구하라는 비전을 주셨다. 그 응답으로 앤지 보아스(Angie Boaz)가 합류하여 우리 기도 사역을 리드하게 됨에 따라 이 사역은 우리가 전에 경험하지 못한 성장을 이루기 시작했다.

그리고 2001년 12월 8일, 아내는 우리가 결코 잊지 못할 기도 모임을 인도하고 있었다. 텍사스 주 휴스턴에서 약 20명의 사람들이 매달 첫째 화요일에 종일 기도 모임을 갖기로 한 것이었다. 12월 바로 그날, 우리는 그 기도 모임에서 우리가 5년 동안 기도해왔으나 아직 응답받지 못한 내용을 위해 함께 기도해줄 것을 요청한 일이 생각난다. 우리는 우리의 자료들을 스페인어로 번역하는 일을 주님께 구했다. 그러나 그때까지 주님은 우리가 직면한 장벽의 출구를 아직 보여주지 않으셨다.

1월, 기도를 시작한 그날로부터 몇 주가 안 되어서 우리는 「지혜(Wisdom for Mothers)」의 스페인어 번역을 위한 만반의 준비를 다 마치게 되었다. 그리고 겨우 두 달 후에 하나님은 그분의 방식으로 우리의 기도에 응답하기 시작하셨다. 그분의 방법은 우리의 것보다 훨씬 더 높고 컸다. 하나님은 우리의 머리로 그분께 구할 수 있는 정도를 훨씬 뛰어넘어 우리에게 넘치게 주셨다.

3월에 우리는 우리의 자료를 러시아어로 번역하는 것을 허락해달라는 이메일을 인디애나 주의 한 교회로부터 받았다. 아내와 나는 마더와이즈 자료들을 그들의 시베리아 선교 여행에 가지고 가려는 놀라운 비전을 가진 성도들을 만났다. 그들은 목사 사모님들을 훈련시키고 싶어했는데, 그 사모님들이 그 자료들을 집으로 가져가 각 교회의 여성들에게 전해주게 하려는 것이었다. 그래서 인디애나 교회의 성도들인 러시아 여성들이 「지혜(Wisdom for Mothers)」를 러시아어로 번역하는 힘든 작업을 시작하게 되었다.

그리고 또 겨우 몇 달 만에 우리는 또 하나의 흥미로운 이메일을 받았다. 한국의 한 목사님과 사모님이 미국에서 안식년을 보내고 있었는데 그 사모님이 「자유(Freedom for Mothers)」 수업에 참석하고 있었던 것이다. 그녀는 고난이라는 메시지를 한국의 여성들과 함께 나누어야겠다는 사명감을 느꼈다. 그래서 그들은 귀국하자 사모님이 영어로 수업을 시작했다. 그러나 참석한 어머니들이 깨달은 것은 영어를 말할 줄 아는 사람들만 그 과정을 들을 수 있다는 아쉬움이었다. 그래서 그 수업을 듣던 한 어머니가 영어를 못하는 다른 사람들을 위해 매일 밤을 지새며 매단원을 부지런히 번역한 사실도 알게 되었다. 곧 그들은 헌신적인 한 여성 모임의 세심한 작업을 통하여 한국어 번역본을 내기 위해 하나님이 하신 일에 관한 이야기를 담아 우리에게 연락을 해왔다.

이제 우리는 3개 언어로의 번역을 동시에 진행하게 되었다. 문화적인 차이를 조정하고, 문장을 다듬고, 편집하고, 교정하고, 마침내 출판하는 힘든 여정이 시작된 것이다. 이제 우리는 스페인어를 사용하는 어머니들뿐만 아니라 러시아어 그리고 한국어를 사용하는 어머니들까지 섬기게 된 것이다.

미국에서 모임들이 점점 더 늘어나고, 우리의 중보 기도 네트워크를 통하여 그리고 이제는 번역을 통하여 사역이 성장함에 따라 우리는 하나님이 다음에는 또 어떤 일을 하실지 상상할 수가 없었다. 아마도 그것은 우리가 모르는 멋진 일일 것이다.

그 해 10월에 나는 회사에서 인도네시아 해외 주재 업무를 맡으라는 요청을 받았다. 아내의 즉각적인 반응은 "안 돼요!"였고 나도 마음에 큰 의문을 가졌다. 명백히 하나님이 지금 여기서 하시는 모든 일을 우리가 어떻게 그만둘 수 있는가? 어떻게 우리가 마더와이즈/ 파더와이즈 본부를 떠날 수가 있는가? 우리는 전세계 마더와이즈 사역과 파더와이즈 사역을 관장할 조직인 '카도 국제 선교회(Kardo International Ministries)' 설립을 통해서 우리 사역의 큰 틀을 방금 마련한 터였다. 우리가 외국에서 지낸다면 어떻게 이 모든 것이 존립할 수 있겠는가?

우리는 탐방을 위해 인도네시아로 향했고 진지하게 기도했다. 하지만 해외로 이동하는 것이 우리를 향한 하나님의 계획인지 하나님께 아직 마지막 확인을 받지 못하고 있었다.

인도네시아 방문 마지막 날 나는 아내에게 우리가 주님의 응답을 받기까지 시편을 계속 읽어나가자고 제안했다. 내가 먼저 한 편을 소리내어 읽고, 다음에 아내가 읽고 하며 번갈아 했다. 한 편을 다 읽을 때마다 나는 아내를 바라보며 "응답이 있었어?" 하고 물었다. 우리가 시편 139편에 이를 때까지 그녀의 대답은 언제나 "아니요!"였다. 아내가 읽을 차례에 9절과 10절에 이르렀을 때 그녀는 더 이상 읽어나갈 수가 없었다. "내가 새벽 날개를 치며 바다 끝에 가서 거할지라도 곧 거기서도 주의 손이 나를 인도하시며 주의 오른손이 나를 붙드시리이다." 우리는 하나님이 응답하셨음을 알았다.

심지어 우리가 해외로 이동하기 전에 우리는 인도네시아 여성들로부터 세 통의 이메일을 받았는데 그들은 우리의 자료를 인도네시아 현지어로 번역해줄 것을 부탁했다. 그들이 우리에게 메일을 보냈을 때 그들 중 누구도 우리가 거기로 이사한다는 것을 몰랐다. 그래서 우리가 현지에 도착하기 전에 우리는 이미 우리가 새로이 거처할 땅에서 사용되는 언어로의 번역을 시작하고 있었다.

이 부르심에 순종한 것이 얼마나 큰 축복이었는지 모른다. 이 글을 쓰고 있는 현재 인도네시아 번역본이 인쇄 중에 있다. 그리고 하나님의 역사는 거기서 끝나지 않았다. 러시아의 한 부부가 러시아 형제들을 위해서 당신이 지금 보고 있는 이 책을 번역해줄 것을 요청하며 돈을 기부한 것이다. 러시아뿐만 아니라 여기 아시아에서도 필요는 많은데 일꾼이 부족하다.

하나님이 당신의 이야기를 또 어떻게 쓰실지 나는 잘 모른다. 우리의 이야기와는 다르겠지만 분명히 아주 흥미로운 이야기가 될 것이라 확신한다. 하나님의 말씀을 만방에 전하라는 그분의 명령을 따른다면 분명 그것은 놀라운 여행이 될 것이다.

당신과 함께 공부하고 있는 전세계의 남녀들을 위해 같이 기도하지 않겠는가? 공부할 자료를 구입할 능력이 없는 외국의 마더와이즈 혹은 파더와이즈 모임 하나를 '자녀 삼는' 일을 생각해볼 수 있는가? 세계 여러 나라의 우리 모임들에 관한 정보를 위해서 인터넷 웹 사이트 www.fatherwise.org를 방문해보라.

마더와이즈 코리아 본부에서는 인도자용 교재 및 자료 제공과 지도자를 위한 세미나를 매년 개최한다.

• 홈페이지 : www.motherwise.or.kr
• 이메일 : motherwise@suwoncca.org
• 전화 : 031-306-1384

데이빗으로부터 온 짧은 편지

나는 사도 바울이 드렸던 기도를 하며 당신과 작별하고 싶다. 나의 이 기도는 이 책을 읽는 모든 이들을 위한 것이다.

당신을 위한 나의 첫 기도는 빌립보서 1장 9-11절 말씀이다.

내가 기도하노라 너희 사랑을 지식과 모든 총명으로 점점 더 풍성하게 하사 너희로 지극히 선한 것을 분별하며 또 진실하여 허물없이 그리스도의 날까지 이르고 예수 그리스도로 말미암아 의의 열매가 가득하여 하나님의 영광과 찬송이 되게 하시기를 구하노라.

두 번째 기도는 골로새서 1장 9-10절 말씀이다.

이로써 우리도 듣던 날부터 너희를 위하여 기도하기를 그치지 아니하고 구하노니 너희로 하여금 모든 신령한 지혜와 총명에 하나님의 뜻을 아는 것으로 채우게 하시고 주께 합당히 행하여 범사에 기쁘시게 하고 모든 선한 일에 열매를 맺게 하시며 하나님을 아는 것에 자라게 하시고.

하나님의 축복이 함께하기를 빌며.

데이빗

주

첫째 주

1. Vine's Complete Expository Dictionary of Old and New Testament Words, W.E. Vine, Merrill F. Unger, William White, Jr., (Thomas Nelson Publishers, 1984).

셋째 주

1. The New Strong's Exhaustive Concordance of the Bible, Hebrew and Chaldee Dictionary, James Strong, L.L.D., S.T.D., (Nashville, TN: Thomas Nelson Publisher 1984), Number Thomas Nelson Pub., 1984. Number 2620.
2. 같은 책, Number 4151. 4152.

넷째 주

1. 같은 책, Number 7723.

다섯째 주

1. 같은 책, Number 1108.

여섯째 주

1. If Only He Knew, Gary Smalley, (Grand Rapids, Michigan, Zondervan 1997.)
2. What Wives Wish Their Husbands Knew About Women, James Dobson, (Wheaton, IL, Tyndale House Publishers, 1988).

일곱째 주

1. Shattering Your Strongholds, Liberty Savard, (Bridge-Logos Publishers, 1993).

여덟째 주

1. How To Really Love Your Teenager, Ross Campbell, M.D., (Victor Books, 1981,

1993).

2. To Spank or Not to Spank, Den A. Trumbull, M.D., S. DuBose Ravenel, M.D., Focus on the Family magazine, April 1998.

3. Tell All the Little Children, Kenneth L. Chafin, (Broadman Press, 1974).

아홉째 주

1. Why Go to Work, Ministry in the Marketplace Series, (Knoxville, TN, Vision Foundation Inc, 1987).

참고 자료

1. Me? Obey Him?, Elizabeth Rice Handford, Sword of the Lord Publishers, Murfreesboro, Tennessee, 1972, pp.13, 16, 20, 37, 38.

2. The Blood Covenant, H. Clay Trumbull, Impact Books, 1975.

3. The True Significance of the Wedding Covenant, [booklet] Institute of Basic Life.

4. The Act of Marriage, Tim and Beverly LaHaye, Zondervan, 1976.

5. The Battle for the Seed, Dr. Patricia Morgan, Vincom Inc., Tulsa, 1991.

6. The Marriage Builder, Dr. Larry Crabb, Zondervan, 1982.

7. Tell All the Little Children, Kenneth L. Chafin, Broadman Press, 1974.

8. What the Bible Says About⋯ Child Training, J. Richard Fugate, Aletheia Publishers, Garland, Texas, 1980.

9. Where Have All the Mothers Gone?, Brenda Hunter, Zondervan, 1982.

10. The Key To Everything, Norman Grubb, 1987, Christian Literature Crusade, Fort Washington, Pennsylvania.

11. Experiencing God, Henry Blackaby and Claude King, The Sunday School

Board of the Southern Baptist Convention, 1990.

12. Ten Mistakes Parents Make With Teenagers(And How To Avoid Them), Jay Kesler, Wolgemuth and Hyatt, Publishers, Tennessee, 1988.

13. ABC's Scripture Memory Book, Scripture Memory Fellowship, PO Box 41155, St. Louis, MO 63141.

지혜로운 아버지

1쇄 인쇄 / 2006년 9월 5일
1쇄 발행 / 2006년 9월 20일

지은이 / 데이빗 글렌
옮긴이 / 김영길
펴낸이 / 양승헌
펴낸곳 / 주)도서출판 디모데 〈파이디온선교회 출판 사역 기관〉